# 新编汉语教程

## A CHINESE TEXT FOR
## A CHANGING CHINA

刘瑞年    李晓琪

Liu Irene
Li Xiaoqi

北京大学出版社

# 编者说明

　　这是一部为学过两年以上汉语的外国学生编写的汉语教程。

　　外国学生学习汉语的目的之一是了解中国,特别是了解当代的中国。在最近的十年里,中国发生了巨大的变化。随着改革的不断深入和对外开放的不断扩大,人们的眼界比以往任何时候都宽广,对美好生活的追求比以往任何时候都热烈,中国人生活的每一个方面几乎都发生了变化。许多传统观念受到了冲击,被人们扬弃;新事物、新观念大量涌现。为了满足各国学生了解今日中国的愿望,我们编写了这本综合性汉语教程。传授语言知识和介绍过去十年中国社会的巨大变化,特别是人们思想观念上的变化,是这本新教程所要达到的两个目的。

　　为了达到这两个目的,本书的课文及附录的短文均选材于近年的报刊。选文在内容方面注意反复比较,筛选最能反映十年来中国变化的文章。在语言方面注意了以下三个方面:1.入选的语言材料必须是标准的、规范的现代汉语,坚决排除过俗、过土的材料。2.入选的语言材料对学生来说必须具有可读性。所用词汇和出现的语法点同初、中级汉语密切衔接,注意不超越学生的接受能力,同时又要对学生具有挑战性,鞭策他们经过一番努力使自己的汉语水平有较大提高。3.入选的语言材料要有趣味性,避免枯燥,尽量选用带有幽默感的作品,以激发学生的积极性。鉴于以往有些课本直接选用报刊原文,语言难度较大,学生难以读通全文,学习效果大受影响,也为了贯彻选文在语言方面的三个标准,我们对全部选文做了必要的改写。

　　在课文的编排上,本书的作法是把内容相近的课文编排在一起,作为一个单元,以便使学生对同一社会问题的不同侧面有所了解。全书共分五个单元,每个单元前都有本书作者写的一篇介绍,目的是使学生了解必要的背景材料,以便较为顺利地理解本单元中的课文。每一篇课文后的练习中附有一至两段和本课文内容有关的短文,课文要求精读,介绍和短文作为泛读材料,用以扩大学生的阅读范围,使学生对当代中国的了解更广泛、深入。每课附有锻炼听力的短篇对话和语言点、词汇练习,用以巩固本课所学内容。全书附有录音带。

每课中都列有一些当代汉语中最常用的固定词组,掌握了这些常用词组,学生的汉语阅读及表达能力都会有较大的提高。

本书的编写历时两年,其间北京大学汉语中心的研究生王威、伍严冰参加了选文及部分其他工作,另外,美国语言教学协会也对这本书的编写给予了支持,在此一并致谢。

作　者
一九九一年元月

# INTRODUCTION

In order to meet the needs of students who wish to improve their understanding of today's China we have decided to provide a comprehensive Chinese language text which also introduces these students to contemporary dynamic social changes.

Reviewing the currently available Chinese texts for 3rd year students we found that no ready texts have systematically prepared the students for an understanding of the present changes in ways of thinking of modern China. Of those texts partially introducing the present day Chinese social condition the level of difficulty is so high that the texts might prevent students reading for meaning, forcing them, rather, to focus upon puzzling out individual words or syntactical components. Many of these texts simply use original material without much consideration for the adaptation to a language text. Some other texts use comparatively simple sections of long passages. However, this kind of extracted material might also prove to be difficult to comprehend because it is removed from its original context.

For the reasons above we have decided to produce a text which, while introducing these new and ongoing changes without passing judgment on them, will be interesting to and suitable for those who have had only 2 years of college level language training or equivalent preparation.

We have decided at the very beginning of our project to design a curriculum, rather than just a text, for a third year course. In this curriculum, the content of the course focuses on modern Chinese culture and society, while the pedagogical foundation is to place emphasis on the communicative function of the language, where advanced reading, grammar and conversation are stressed. The criteria to guide our selection and use of materials include both attention to the format and the content of the text and the language acquisition process of the students. That is, the curriculum aims at creating materials which generate students' language process competency in all 4 skills. In practice, this results in the integration of classroom activities, in that one activity leads naturally on to another related one. The student uses the information obtained from one activity to perform another. In concrete terms this means that each lesson should be learned in a series of pre-, mid-, and post- reading activities. For the pre- reading activities, photographs are employed in order to create a "mindset of readiness." Through discussing the photographs during this period, students are urged to speculate about the issue raised in the lesson. These activities orient the students to the cultural background relevant to the reading. The middle activity consists of the actual reading of the text. The post-reading activities are designed to ensure students' comprehension of the lessons they have studied. In oral discussion and in written exercises at the end of each lesson, students are required to demonstrate their understanding of the content by explicitly commenting on the story.

The book, therefore, has two equally important purposes. One is to introduce the student to contemporary Chinese values and attitudes as these aspects undergo rapid change. The other is to use authentic mate-

4

rials printed in China to teach the student essential elements of the written language which s/he will need to master in order to read diffiucult modern texts. The text of the lessons are of two types which include both original written material and material taken from actual Chinese publications. The former, in expository style, are written by the authors. These lessons are for extensive reading and aim to provide background information to appreciate the social changes that have taken place in China since 1980. Following each original written lesson are three articles from either newspapers or magazines as illustrations of the existing conditions in present-day society. These lessons are for intensive reading. Finally, at the end of each lesson we also include a short essay for supplementary reading which aims at practice reading for general information.

The choice of the lessons in the text was based on 3 criteria: 1) their contemporary yet enduring value; 2) their level of difficulty, one that should not be far beyond the grasp of the intended users but sufficiently challenging to develop theri linguistic abilities; 3) providing the students with examples of the journalistic style of writing. The lessons are arranged around issues or topics, whose materials include language of varying degrees of difficulty. This order does not take the place of the more common structural arrangement and is justifiable on several grounds: 1. Third-year students do not require strictly graded degrees of difficulty; 2. the intrinsic interest of coherent texts helps to hold the students' attention; 3. the texts are actually drawn from Chinese sources and thus present realistic challenges to the students. Moreover many of them are writtem in a humorous style to stimulate students' interest.

5

As a means to build up students' linguistic competence the text also puts stress on the learning of set phrases. Included in each lesson is a list of items of commonly-used set phrases suitable for the advanced level. The purpose of learning set phrases is to equip the students with language that occurs repeatedly in actual Chinese texts and knowledge of which will improve speed and competence. The grammatical component of this text serves to solidify, expand, and refine the fundamental knowledge of Chinese structure and syntax of which the students have already been exposed on elementary and intermediate levels. The phonetic system is that of the pinyin system. Hopefully, the text may be printed in both regular and simplified characters.

This book took two years to write. During that time, Beijing University Chinese Language Center graduate students Wang Wei and Wu Yanbing assisted with part of the work. We especially want to express our thanks here. We also wish to acknowledge the assistance of The Consortium for Language Teaching and Learning which provided funds in partial support of the project.

The text consists of
A. 5 units, containing 3 lessons each.

Each unit, in addition, has a short introduction of cultural background information which will enhance understanding of the issues raised in the unit.

Each unit is accompanied with photographs.

Each lesson will include:

    a. text,

    b. gloss,

6

c. set phrases - constructed from the lexical items in the same lesson,

d. short dialogues for listening comprehension,

e. grammar notes and illustrative sentences,

f. short essay for supplementary reading,

g. exercise.

The set phrases, grammar notes and their illustrative sentences will be accompanied by the English equivalents.

B. Text of the listening comprehension for all the lessons in the texbook - beginning on page 171.

C. Recorded lessons, drills and short dialogues are done in 2 voices - one male voice and one female voice, recorded in Beijing.

7

# 目　录

# TABLE OF CONTENTS

# 略语表　Abbreviations

| | |
|---|---|
| N. | 名词 |
| V. | 动词 |
| Sv. | 形容词 |
| Nu. | 数词 |
| M. | 量词 |
| PN. | 代词 |
| Prep. | 介词 |
| TW. | 时间词 |
| PL. | 地点词 |
| Adv. | 副词 |
| Con. | 连词 |
| Ph. | 成语 |
| VO. | 动宾 |
| RV. | 动补 |
| S. | 主语 |
| O. | 宾语 |
| VP. | 动词性短语 |
| NP. | 名词性短语 |

# 1. 人口　住房　物价

中国有许多社会问题。比如人口问题、房子问题、交通问题、失业问题、物价问题、腐败问题等等。

本单元选了三篇报道，第一篇谈的是人口问题。中国人太多了，增长得太快了。1950 年，中国人口是 5 亿左右，三十年后，1982 年人口为 10.25 亿，增长了一倍，到 1990 年，已经超过 11 亿了。虽然中国政府早在七十年代末就提出了一家只能生一个孩子的政策，可是中国的人口增长还是太快了，世界上平均四个半人中就有一个是中国人。人口太多，给生活水平带来很大影响。生产在不断发展，可是人们的收入却提高得不快。

第二篇谈的是住房问题。

跟着人口问题，住房问题也产生了。1980 年，北京市居民平均每人住房面积才三点多平方米，后来，北京盖了许多新楼、高楼，到 1990 年，达到每个人平均六点七平方米。可是房子还是不够住，因为以前一家人住一套房子，现在，孩子们长大了，结婚了，一人就要一套房子。

近年来，产生的一个新的社会问题是物价问题。物价关系到千家万户，关系到每一个人的生活，物价问题成了一个人人关心的大问题。本单元的第三篇反映的正是这一方面的问题。

## 生词　NEW WORDS

1. 人口　rénkǒu　*N*. population
2. 住房　zhùfáng　*N*. house
3. 比如　bǐrú　for example
4. 交通　jiāotōng　*N*. traffic
5. 失业　shīyè　*VO*. to lose one's job
6. 物价　wùjià　*N*. price
7. 腐败　fǔbài　*Sv*. corrupt
8. 本　běn　*PN*. this
9. 单元　dānyuán　*N*. unit
10. 篇　piān　*M*. for report
11. 报道　bàodào　*N*. (news)report
12. 亿　yì　*Nu*. a hundred million
13. 为　wéi　*V*. is/was
14. 增长　zēngzhǎng　*V*. increase
15. 超过　chāoguò　*V*. exceed
16. 七十年代末　70 niándài mò　*TW*. the end of the 70's
17. 平均　píngjūn　*V*. average
18. 水平　shuǐpíng　*N*. level
19. 不断地　bùduànde　*Adv*. uninterruptedly ; continuously
20. 收入　shōurù　*N*. income
21. 居民　jūmín　*N*. resident
22. 面积　miànji　*N*. area
23. 平方米　píngfāngmǐ　*N*. square metre
24. 盖　gài　*V*. build
25. 套　tào　*M*. a suite of rooms

2

26. 结婚　jiéhūn　*V.* to get married
27. 关系到　guānxìdào　*V.* affects/related to
28. 千家万户　qiānjiā wànhù　*N.* thousands and thousands of families
29. 反映　fǎnyìng　*V.* reflects

# 1.1　人口大爆炸

## ——人口面面观

**在北京——**

　　1987 年 7 月 27 日,这一天的最高气温是三十五摄氏度。

　　从中午 12 点到 13 点,《北京日报》的一名记者和几名工作人员分别站在市内最大的一家百货商店的四个大门口,统计顾客流量。门外气温非常高而门内的热气也厉害得使人受不了。统计结果,在这一个小时内有 8240 人带着热浪进来,9680 人带着汗气出去。

　　7 月 30 日,北京电视台报道,北京火车站顾客流量非常高,日流量达 33 万人,可火车站设计的客流量不过是日五六万人。所有的检票厅都改成了临时候车室,但车站大厅前的广场上仍然是人山人海。

**在广州——**

　　1988 年春季交易会期间,一批日商住在广州宾馆。一天黄昏的时候一位日商站在窗户前看街,像有新发现似的,指着窗外惊呼着说:"hayaku,mitekudasai!"(日语:快来看!)立刻,四五名日商往窗前走去,眼睛都向海珠桥方面看过去。这时南来北往的自行车,如蝗虫般来来去去,在海珠桥的两边合起来,变成一条密密的人流、车流,像永远走不完的百万大军。

这些日商评价说:"太壮观了,简直是世界第九大奇观!"

专家认为,中国目前人口,照现在这种速度增长下去,到 1995 年年底,就会达到 12 亿多了。

## 生词　　NEW WORDS

1. 爆炸　bàozhà　*N.* explosion

2. 面面观　miànmiànguān　*N.* (various)aspects

3. 气温　qìwēn　*N.* (air)temperature

4. 摄氏　shèshì　*N.* celsius

5. 度　dù　*N.* degree

6. 记者　jìzhě　*N.* reporter

7. 人员　rényuán　*N.* personnel

8. 百货商店　bǎihuò shāngdiàn　*N.* department store

9. 统计　tǒngjì　*V.* add up (the number of people)

10. 顾客　gùkè　*N.* customer

11. 流量　liúliàng　*N.* rate of flow

12. 热气　rèqì　*N.* steam;heat

13. 厉害　lìhài　*Sv.* devastating

14. 使　shǐ　*V.* cause;enable;make

15. 受不了　shòu bu liǎo　*RV.* cannot bear;be unable to endure

16. 结果　jiéguǒ　*N.* result

17. 小时　xiǎoshí　*N.* hour

4

18. 热浪　rèlàng　*N.* heat wave

19. 汗气　hànqì　*N.* sweaty atmosphere

20. 电视台　diànshìtái　*N.* television station

21. 报道　bàodào　*V.* report(news)

22. 达　dá　*V.* reach

23. 设计　shèjì　*V/N.* design

24. 检票厅　jiǎnpiàotīng　*N.* a room where tickets are checked

25. 临时　línshí　*Adv.* temporary

26. 候车室　hòuchēshì　*N.* waiting room(in a railway or bus
　　　　　　　　　　　　station)

27. 广场　guǎngchǎng　*N.* public square

28. 仍然　réngrán　*Adv.* still

29. 春季　chūnjì　*N.* spring

30. 交易　jiāoyì　*N.* trade

31. 期间　qījiān　*N.* a period of time

32. 黄昏　huánghūn　*N.* dusk

33. 窗户　chuānghu　*N.* window

34. 发现　fāxiàn　*V/N.* discover；discovery

35. 惊呼　jīnghū　*V.* cry out in amazement

36. 立刻　lìkè　*Adv.* immediately

37. 眼睛　yǎnjing　*N.* eye

38. 蝗虫　huángchóng　*N.* locust

39. 密　mì　*Sv.* dense；thick

40. 百万大军　bǎiwàn dàjūn　*N.* a veritable army of soldiers (a
　　　　　　　　　　　　　　metaphor)

41. 评价　píngjià　*V.* comment

42. 壮观　zhuàngguān　*Sv.* magnificent(sight)

43. 奇观　qíguān　*N.* a spectacular sight

44. 专家　zhuānjiā　*N.* a specialist
45. 认为　rènwéi　*V.* consider
46. 速度　sùdù　*N.* speed

# 专用名词　PROPER NOUNS

1. 广州　　Guǎngzhōu　Canton
2. 海珠桥　Hǎizhūqiáo　the largest bridge in Canton

# 常用词组　COMMON PHRASES

1. 人员
   全体人员　quántǐ rényuán　the entire staff
   工作人员　gōngzuò rényuán　worker; staff member; working personnel
2. 报道
   报道经过　bàodào jīngguò　to report on what happened
   报道会议情况　bàodào huìyì qíngkuàng　to report on the conference
   新闻报道　xīnwén bàodào　news reports
3. 天安门广场　Tiān'ānmén guǎngchǎng　Tianan-men square
4. 速度
   加快速度　jiāguài sùdù　to increase speed
   生产速度　shēngchǎn sùdù　the tempo of production

6

| 工业化的速度 | gōugyèhuà de sùdù | the pace of industrialization |
| 经济发展速度 | jīngjì fāzhǎn sùdù | the rate of economic development |

5. 增长

| 增长知识 | zēngzhǎng zhīshi | to broaden (or enrich) one's knowledge |
| 人口的增长 | rénkǒu de zēngzhǎng | population growth |
| 人口增长率 | rénkǒu zēngzhǎnglǜ | population growth rate |

## 语法　GRAMMAR

1. **分别**　fēnbié

Syntactically, "fēnbié" is an abverb which may precede a preposition (or co-verb) of a verb. Even though "fēnbié" precedes a verb, semantically, it does not modify the verb. It qualifies the noun or nouns in the sense that "one person does the same thing to several individuals separately", or "several individuals each do the same thing to the same person". It can mean either that "one entity deals separately with different conditions or situations" or "several entities each cope with the same thing the same way."

Examples：

① 你分别跟他们谈谈吧。

Why don't you talk to each of them?

② 你们分别跟他谈谈吧。

Why don't you each talk to him separately?

③ 为了弄清问题，他分别向老王、老李和老张作了调查。

In order to clarify the issue, he made separate investigations of

7

Lao Wang, Lao Li, and Lao Zhang.

④市长和副市长分别接见了他。

The mayor and the deputy mayor each received him separately.

⑤一班、二班、三班分别讨论了这个问题。

Class 1, Class 2, and Class 3 each discussed this issue separately.

2. 而　ér

"Ér" is basically a syntactic marker that connects two verb phrases or two clauses. Having no intrinsic meaning "ér" derive its meaning from the verb phrases or clauses it links together. "Ér" may be interpreted as "and" if the two elements supplement each other, and as "but" if they contrast with each other. Moreover, if the two elements are clauses, "ér" may also be rendered as a comma placed between the two clauses. In this lesson we only take up the first of these uses.

A. "Ér" connects two qualitatively similar verb phrases.

Examples：

①这条河长而宽。

This river is long and wide.

②没有人要看长而空的文章。

Nobody wants to read essays which are long and empty.

③她们正在紧张而高兴地工作着。

They are working intensely and happily.

B. "Ér" connects two clauses whose meanings supplement each other.

Examples：

①各组都得到很好的成绩而第三组的成绩最出色。

Each group has achieved good results, and the achievement of the third group was the most outstanding.

②门外气温非常高而门内的热气也很厉害。

Outside, the temperature is unusually high; inside, the heat is severe.

### 3. 使 shǐ

$$S_1 + shǐ + (S_2 + VP)$$

Syntactically, "shǐ" is a causative verb which takes a clause as its object. Semantically, this pattern expresses the idea that a person or a condition, $S_1$, causes another person or situation, $S_2$, to be in a specific state that is presented in the verb phrase.

Examples：

①这样作才能使大家满意。

Only by handling it this way will it make everyone (feel) satisfied.

②他的话并不使我生气。

His words did not make me angry at all.

③他的态度使他变得朋友越来越少。

His attitude has caused him to become a person with fewer and fewer friends.

### 4. 在……内 zài…duration…nèi

This is a specific time phrase that may go before or after the subject of a sentence. Within the phrase the duration of time can be minutes, days, months or years. Although this interval of time is not made definite by the use of a specifier such as "zhèi" or "nèi", the time of its occurrence is known in the speaker's mind. "zài" is optional in this time phrase.

Examples：

①在三年内我就毕业了。

I' ll graduate in three years(from now).

②昨天在几个小时内就下了十几寸的雨。

Yesterday within a few hours it rained several inches.

9

③那个商店在两天内卖了几万元的商品。

In two days that store sold commodities worth tens of thousands of yuan.

## 5. 在…期间　　zài…X…qījiān

Like the pattern above, this is a definite time phrase which may occur before or after the subject. The preposition "zai" must be included when the entire phrase follows the subject, but may be dropped when preceding it.

The "X" inserted in the phrase represents a specific event which took place or will take place at a definite time. Syntactically, "X" may take the form of a noun phrase or a verb+object construction.

Examples:

①我在念研究生期间认识了很多学者。

During the time that I studied in graduate school, I became acquainted with quite a few scholars.

②广州市在春季交易会期间卖了不少商品。

Canton city sold a great amount of merchandise during (the very time of) the spring trade fair.

③中国代表在中日会议期间访问了几位华侨领袖。

During the Sino-Japanese conference the Chinese delegates visited a few Overseas Chinese leaders.

## 6. 像……(似的)　　xiàng…(shìde)

S+xiàng+predicate+(shìde)

Syntactically, "xiàng" must follow the subject and precede the rest of the sentence, "shìde" is optional but when included it must be placed at the end of a clause. Semantically, a sentence including the "xiàng ……shìde" structure is not a statement of fact. The sentence merely states the speaker's impression that something is the case.

10

Examples:

①他像不怎么舒服（似的）。

He appears to be a little sick.

(not so comfortable)

②他像就通知了小王一个人（似的）。

It looks as if he informed only one person Xiao Wang.

③这个人我像看见过他（似的）。

I seem to have seen this person before.

7. 如……般（地）　　rú…X…bān(de)

　　　　　　　　　S＋rú…X…bān(de)＋VP

Syntactically, "rú…X…bān" is an adverbial phrase that precedes the verb phrase of a sentence. The adverb marker "de" is optional. Semantically, "X", in the form of a noun phrase, is a simile, used to describe a quality or action of the subject. It often occurs in literary writing.

Examples:

①她的眼睛如秋水般（地）明亮。

Her eyes are clear like the autumn waters. (of woman's fluid glance - clear, bright looking, like the beauty of "autumn ripples")

②掌声如暴风雨般（地）响起来。

The sound of the applause, like a storm, broke out.

③上百上千的自行车如蝗虫般（地）来来去去。

Hundreds and thousands of bicycles, coming and going, like locusts.

11

# 练习　　EXERCISES

一、选词填空：

a. 记者　顾客　气温　热浪　度　统计　百货　门口
汗气　在……之内

有一天,北京非常热,最高(　　)是三十八(　　)。几位(　　)来到市内最大的一家(　　)商店,他们站在商店(　　),(　　)着(　　)流量。统计结果,(　　)半个小时(　　),有五千一百二十人带着(　　)进来,六千二百三十人带着(　　)出去。

b. 壮观　商人　南来北往　惊呼　密密　黄昏　来来去去
像……似的　宾馆　合

一天(　　)的时候,一位美国(　　)站在(　　)的窗前向外看,突然,他(　　)有新发现(　　),指着窗外(　　):"快来看!快来看!"原来,马路上(　　)的自行车,像蝗虫似的(　　),在一座桥的两边(　　)起来,成为一条(　　)的人流、车流,(　　)极了。

二、用指定词完成句子：

a. 仍然

　　1.尽管我已经学了两年多中文,＿＿＿＿＿＿＿＿＿＿＿＿。

　　2.尽管商店里气温很高,＿＿＿＿＿＿＿＿＿＿＿。

　　3.这学期我＿＿＿＿＿＿＿＿＿＿＿。

b. 简直

　　1.你说话太快了,＿＿＿＿＿＿＿＿＿＿＿。

　　2.室内三十八度的气温＿＿＿＿＿＿＿＿＿＿。

　　3.中国的人口增长速度＿＿＿＿＿＿＿＿＿＿。

三、请用约一百字写出你对中国人口问题的看法(请多用本课的语法点)。

四、听力练习(请听磁带)。

12

## 十一点六亿人口意味着什么？

　　根据中国第四次人口调查，到 1990 年 7 月 1 日零点，中国总人口为 11.6 亿。这个数字表明，中国的计划生育工作很有成绩，人口大爆炸得到了一定的控制。八十年代初期，中国实行了计划生育政策——一对夫妻只生一个孩子。从那时起，中国大约少生了两亿多人，这是一件了不起的事情。但是中国已经有 11.6 亿人口，并且每年还要增加 1500 多万，等于一个澳大利亚！这个现实告诉人们，中国人口问题还是那么严重，中国必须坚持计划生育。

　　中国的面积是世界第三位，但是人均土地还不到世界人均土地的三分之一。1989 年中国粮食生产达到历史最高水平，但是由于人口增加太多太快，人均粮食比 1984 年还低 30 公斤。河流、湖泊，中国有那么多，而人均水量是世界第 88 位。交通、运输、教育发展得也很快，但是坐车难、看病难、找工作难等问题总解决不了……由于人口数量太多，中国背上了一座世界上别的国家没有的大山。

　　专家们认为，90 年代是中国经济发展的重要时期，也是人口发展的重要时期。90 年代前期，中国第三次人口出生高峰到了，如果控制不好，中国人口会快速增长，十二亿人口的中国很快会站在世界的东方。

1. 意味　yìwèi　mean
2. 调查　diàochá　investigation
3. 表明　biǎomíng　make clear
4. 控制　kòngzhì　control
5. 政策　zhèngcè　policy
6. 现实　xiànshí　fact

7. 严重　yánzhòng　grave
8. 粮食　liángshí　grain
9. 水量　shuǐliàng　volume of water
10. 解决　jiějué　solve
11. 背　bēi　carry on the back
12. 高峰　gāofēng　peak
13. 澳大利亚　Àodàlìyà　Australia

## 1.2　找房子

　　在上海,有一位 36 岁的工人,他结婚时,自己没有房子,住在岳母家。岳母家的房子只有 4.7 平方米,房内只放得下一张床。以前,母女俩睡在这张床上。他来以后,就在床与房顶之间用木板搭出一个小小的空间来,岳母就睡在这个小空间里,他和妻子睡在床上。他看着岳母每天爬上爬下,非常难过,于是,他决定自己去找房子。

　　一个月以后,他终于想办法租了一间 20 平方米的私房。搬家的时候,他非常高兴。在后来的几年里,房租越来越高,但是,他还是想了很多办法,把钱节省下来交房租,没有搬走。最后,每月的房租涨到了 40 元。一般的中国人,他们住政府分配的房子,每个月只需交几块钱房租,相比之下,他的房租就太高了。而且,他的工资又很低,所以,他没有办法,只好另找房子。

　　后来,他又租到一间便宜一点儿的房子。这间房子后面有一个粪池,别人都不愿意住。他们家的门窗四季都关着,可屋子里还是有臭味。他和妻子还能够忍受,但是,岳

14

母和孩子却很难在这样的环境中生活。于是,每天下班以后,他又骑上自行车到处去找房子。

　　就在这个时候,上海市政府要求各个单位马上为住房特别困难的人解决问题。这个工人的工厂买了一间房子,分给了这个工人。这间房子光线和空气都很好,而且每月只需交 3.6 元房租。可是,为了买这间房子,工厂却花了一万多元。这对于那个小工厂来说,是个不小的负担,其他工人的福利也因此受到了影响。他感谢政府和全厂工人对他的帮助,但是他又想:我有技术,而且工作努力,为什么不能凭自己的才能为妻子和岳母挣一间房呢?

## 生词　　NEW WORDS

1. 岳母　yuèmǔ　*N.* mother in law(wife's mother)

2. 房顶　fángdǐng　*N.* ceiling

3. …与…之间　…yǔ…zhījiān　the space between…and…

4. 木板　mùbǎn　*N.* wooden board

5. 搭　dā　*V.* build;put up

6. 空间　kōngjiān　*N.* space

7. 爬　pá　*V.* climb

8. 于是　yúshì　*Con.* and so;and then (used in narrative styles of writing. "yúshì" indicates thatone matter follows the other consequently.)

9. 租　zū　*V.* rent;rent to(租到了:rented; succeed in renting;租给:rentout to…;lease out to…)

10. 节省　jiéshěng　*V.* economize;save;use sparingly;cut down on…

11. 房租　fángzū　*N.* (house)rent

12. 交房租　jiāo fángzū　*VO*. pay rent

13. 涨　zhǎng　*V*. rise(in price)

14. 分配　fēnpèi　*V*. assign; allot

15. 相比之下　xiāngbǐzhīxià　*Ph*. when compared…

16. 工资　gōngzī　*N*. wages; pay

17. 只好　zhǐhǎo　*Adv*. have no choice but; be forced to

18. 粪池　fènchí　*N*. manure pit

19. 四季　sìjì　*N*. the four seasons

20. 臭味　chòuwèi　*N*. bad/offensive smell

21. 能够　nénggòu　*Adv*. be able to

22. 忍受　rěnshòu　*V*. endure; bear

23. 环境　huánjìng　*N*. environment; surroundings

24. 光线　guāngxiàn　*N*. light; ray

25. 空气　kōngqì　*N*. air

26. 负担　fùdān　*N*. burden

27. 福利　fúlì　*N*. material benefits; welfare

28. 因此　yīncǐ　*Con*. therefore

29. 感谢　gǎnxiè　*V*. be grateful

30. 技术　jìshù　*N*. skill

31. 凭　píng　*V*. rely one; depend on

32. 才能　cáinéng　*N*. ability; talent

33. 挣　zhèng　*V*. earn

## 常用词组　COMMON PHRASES

1. 节省

节省时间　　　jiéshěng shíjiān　　　　to save time (to cutdown on time)

16

| | | |
|---|---|---|
| 节省人力 | jiéshěng rénlì | to use manpower sparingly |
| 节省金钱 | jiéshěng jīnqián | to save money (to cutdown on money) |

2. **交**

| | | |
|---|---|---|
| 交钱 | jiāo qián | make payments; pay bills |
| 交房租 | jiāo fángzū | pay rent |
| 交学费 | jiāo xuéfèi | pay tuition |
| 交报告 | jiāo bàogào | hand in a report |
| 交朋友 | jiāo péngyou | make friends |
| 交谈 | jiāo tán | exchange views with; talk with; discuss with |

3. **一般**

| | | |
|---|---|---|
| 一般人 | yībān rén | people in general |
| 一般学校 | yībān xuéxiào | schools in general |
| 一般情况 | yībān qíngkuàng | situations in general |
| 一般的作法 | yībān de zuòfǎ | common practice |
| 一般工作人员 | yībān gōngzuò rényuán | ordinary personnel |

4. **工资**

| | | |
|---|---|---|
| 发工资 | fā gōngzī | pay out salary |
| 拿工资 | ná gōngzī | get pay (salary) |
| 基本工资 | jīběn gōngzī | basic wages |

5. **忍受**

| | | |
|---|---|---|
| 忍受艰难 | rěnshòu jiānnán | endure hardship |
| 忍受痛苦 | rěnshòu tòngkǔ | endure physical pain or mental angulsh |

6. **环境**

| 换环境 | huàn huánjìng | have a change of environment |
| 环境保护 | huánjìng bǎohù | environmental protection |
| 环境改良 | huánjìng gǎiliáng | environmental improvement |
| 环境卫生 | huánjìng wèishēng | environmental sanitation |
| 环境污染 | huánjìng wūrǎn | pollution of the environment |
| 环境科学 | huánjìng kēxué | environmental science |

7. **困难**

| 困难的情况 | kùnnán de qíngkuàng | difficult conditions |
| 生活困难 | shēnghuó kùnnán | live in straitened circumstances |
| 经济困难 | jīngjì kùnnán | be hard up;financial difficulties |

8. **奖金**

| 发奖金 | fā jiǎngjīn | issue money award or bonus |
| 拿奖金 | ná jiǎngjīn | receive money award or bonus |
| 年终奖金 | niánzhōng jiǎngjīn | year-end bonus |

9. **技术**

| 技术水平 | jìshù shuǐpíng | technical competence |
| 技术改革 | jìshù gǎigé | technological transformations |
| 技术革新 | jìshù géxīn | technological innova-tion |
| 技术工人 | jìshù gōngrén | skilled worker |
| 技术人员 | jìshù rényuán | technical staff |

18

| 技术员 | jìshù yuán | technician |
| 技术学校 | jìshù xuéxiào | technical school |

10.**努力**

| 努力工作 | nǔlì gōngzuò | work hard(at work) |
| 努力读书 | nǔlì dúshū | work hard(in studies) |
| 努力学习 | nǔlì xuéxí | work hard(in learning) |
| 努力生产 | nǔlì shēngchǎn | work hard(in production) |

# 语法　　GRAMMAR

1. 自己　　zìjǐ

"Zìjǐ" is mainly a reflexive pronoun which may appear in any position where a noun phrase could appear. It thus may appear in the subject position, object position of the sentence or even as the object of a preposition. When "zìjǐ" is used, the sentence must have a noun phrase which can provide a reference for this reflexive pronoun. Appearing in the subject position, "zìjǐ" must be preceded by a noun phrase, otherwise it may appear with or without a noun phrase. "zìjǐ", roughly meaning "self", is coreferential with the noun phrase of the clause.

Exanples：

①他自己知道是怎么回事。

He himself knows what is going on.

②你这样作只会害了(你)自己。

Handling things like this, you will only harm yourself.

③请你自己去跟他说吧！

Please go talk to him yourself.

④我看了半天,自己都没有看懂,怎么讲给你听？

I read for a long time, I couldn' t even understand it myself,
how can I explain it to you.

⑤有些事情你不必去管它，它也会自己解决。

For some matters you need not bother with them, they can be
solved by themselves.

2. (A 与 B)之间　　(A yǔ B)zhījiān

The phrase "A yǔ B zhījiān" indicates the existence of something
between two points of time or between two other things. In writing
"yǔ" is used. In speech "hé"(和) or "gēn"(跟) is used.

Examples：

①苏州在上海与南京之间。

Sūzhōu is in between Shànghǎi and Nánjīng.

②我们约好在两点与三点之间见面。

We agreed to meet between two and three.

③今天最高的气温可能在三十与三十三度之间。

The highest temperature today probably will be between 30 and
33.

④他在两个工厂之间买了一块地。

He bought a piece of land in between two factories.

3. V+到(+了)　　V+dào(+le)

This is a resultative verb phrase in its actual form, indicating that
the expectation of an action is reached. The resultative ending "dào" is
used to show the action has succeeded in obtaining a positive result. For
examples：

a)mǎi-dào-le：bought(succeeded in buying)

b)kàn-dào-le：saw(succeeded in seeing)

c)zū-dào-le：rented(succeeded in renting)

d)fēn-dao-le：alloted(succeededin allocating)

20

Examples：

①他在一个环境很好的地方买到了一所房子。

He bought a house in a good location. (good environment)

②他看到了那几辆进口的汽车。

He saw those imported cars.

③我租到了一间光线很好的屋子。

I was able to rent(was successful in renting)a bright room.

④张三上个月分到了五十元奖金。

Zhāng-sān got(was allotted) a 50 dollars reward. (was successful in getting the reward - through allocation)

4. 却　　què

Used only in written Chinese,"què" functions as an adverb which precedes the verb of the sentence. Semantically "què" has the same meaning as "kěshì". The difference between these two adverbs is that "kěshì"may precede or follow the subject of the sentence. "Què", on the other hand, can only precede the verb, never the subject. "Què" may also be used with"kěshì" or "dànshì" for emphasis.

Examples：

①这篇文章虽短,读起来却很有意思。

Although this essay is short, it is interesting when one reads it.

②她有很多话要说,看到我却什么也说不出来。

She had a lot to say,but seeing me she was unable to utter a word.

③这个孩子虽然只有十五岁,但是作起事来却象个大人。

This child is only fifteen years old, but he works like an adult.

5. 为＋NP　　wèi＋NP

S＋(wèi＋NP)＋VP

"Wèi"functions as a preposition which must be followed by a noun phrase. Semantically, "wèi" introduces the beneficiary who profits from the action of the sentence. It may be translated as "for (the benefit of)."

Examples:

①百货商店应该好好地为顾客服务。

Department stores should render good service to their customers.

②交易会为广州带来了很多各地的游客。

The trade fair has brought many tourists from various places to the city of Canton. (Canton profits from the trade fair)

③张三为孩子找到了一个很好的英语老师。

Zhāng Sān has found a very good English teacher for his child.

6. 为了＋VP　　wèi＋le＋VP

　　　　　　　　S＋wèi＋le＋VP1＋VP2

In contrast to the previous usage in which "wèi" stands alone, "wèi" in this lesson also includes "le" in its domain. "Wèi＋le" must be followed by a verb phrase. "Wèi＋le" is used to introduce a purpose or a reason (expressed by VP1) for an action which will take place (expressed by VP2). Notice that the order of the two verb phrases in Chinese may not be reversed, as English sometimes does.

Examples:

①百货商店为了能得到更多的顾客，从日本买了很多电视机。

In order to get (obtain) more customers, that department store bought many television sets from Japan.

②交易会为了作好工作，用了很多有才能的年轻人。

In order to take care to do the job well, the trade fair hired (has used) many competent young people.

③张三为了给孩子找一个好的英语老师花了很多钱。

Zhāng Sān has spent a lot of money for the purpose of finding a good English teacher for his child.

7. 因此　　yīncǐ

clause 1, yīncǐ clause 2

"Yīncǐ", being a connective, cannot start a sentence. It must have an antecedent clause. With the basic meaning of "because of this", "yīncǐ" introduces a conclusion or a consequence (expressed by clause 2) of a preceding act. In other words, the "cǐ" of "yīncǐ" refers back to the first clause. "Yīncǐ" is normally used in writing.

Examples：

①李四工作很努力，因此年底拿到了奖金。

Lǐ sì worked very hard, therefore (because of this) he received a bonus at the end of the year.

②那间屋子的光线太坏，因此他常常白天开着灯作事。

The light in that room is bad, so he often works with his light on.

③张三是个很有经验的技术工人，因此很多工厂要用他。

Zhāng Sān is an experienced skilled worker, because of this many factories want to hire him.

8. 凭　　píng

S＋píng＋NP＋VO

"Píng" In this lesson is a preposition. It must take a noun phrase as its object. Together, they precede the verb phrase of the sentence. Semantically, the NP following "píng" is the basis (or foundation) for the stated action.

Examples：

①他凭学问得到很多人的尊敬。

Because of his knowledge he earns respect from many people.

(The respect he got from people was on the basis of his learn-

23

ing. )

②我们要凭自己的才能挣钱。

We must earn money based on our own abilities. (not on friend-ship, gift, etc. )

③你凭他的一句话就可以得到那个工作了。

You can get a job just on his word.

## 练习　EXERCISES

**一、根据课文内容判断句子,对的在括号里画"T",错的在括号里画"F":**

1. 在中国,要结婚的人很容易找到房子。( )

2. 一位工人的岳母生活上需要帮助,所以他结婚时住在岳母家。( )

3. 他在岳母家住得很舒服。( )

4. 后来,他们搬家了,租了一间私房住。( )

5. 私房的房租比政府分配的房子的房租高得多。( )

6. 因为交不起私人房房租,这位工人只好又搬家了。( )

7. 第二次搬家后的房子环境很好,妻子、岳母和孩子都很满意。( )

8. 最后在上海市政府和工厂的都助下,这位工人的一家终于搬进了房租便宜、环境很好的房子。( )

**二、用指定词完成下面对话:**

1. A:小王:听说你有新房子了?

B:＿＿＿＿＿＿＿＿＿＿＿。(分配)

2. A:学习汉语,读和说哪个比较容易?

B:＿＿＿＿＿＿＿＿＿＿＿。(相比之下)

3. A:你怎么又回来了?

24

B：我忘了拿火车票，＿＿＿＿＿＿＿＿＿。（只好）

4. A：他们的住房问题解决了吗？

B：经过一年多的努力，＿＿＿＿＿＿＿＿＿。（终于）

## 三、造句

1. 租　　　　　2. 节省　　　　　3. 忍受

4. 才能　　　　5. A 与 B 之间　　6. 却

7. 为(as a co-verb)　8. 为了　　　　9. 因此

10. 凭

## 四、请用约一百字写出你自己租房子的经验。

## 五、听力练习（请听磁带）。

## 六、阅读下列两篇短文：

### A. 市长头痛

中国共有 381 个城市。每天，市长们要遇到许许多多麻烦事，其中最让他们头痛的就是房子问题。

北京，中国的首都，全国政治文化中心，可是住房十分紧张。到 1988 年，全北京有 50 多万住房严重困难户，他们平均每人住房面积不到两平方米。一些青年人结婚四、五年了还没有一间房……在一所中学的对面，有一排很旧、很危险的房子，本来应该拆除的，可是，这所学校的校长和许多老师都住在这里。一家一间，男女老少四五个人挤在一起。夏天，一人擦身，其他人只能上街散步……

上海，是中国最大的、人口最多的工业城市，也是住房最拥挤的城市。一间小小的屋子要挤上男男女女几代人。晚上在地上睡觉的家庭多得很。成千上万的学生和老师，家里放不下一张桌子，只好在床上看书、写字。在外滩，一到晚上就会出现一个奇观——恋爱河岸，一对对情人排成一条人的长河，在那里谈情说爱，因为那里有"大屋子"。

天津，中国北方的名城。改革开放以后这里发生了巨大变化，

25

但住房问题还是让市长们头痛。不少住房,院子比大街低,屋子比院子低,所以一下雨水就往屋里流……市长们下决心建了许多新房,可现在仍有八万多户平均每人住房面积不到两平方米,这点地方,放不下一张床和一把椅子……

1. 紧张　jǐn zhāng　in short supply
2. 户　hù　family
3. 拆除　chōuchú　remove
4. 擦身　cā shēn　take a sporge bath
5. 成千上万　chéng qiān shòng wàn　large numbers
6. 外滩　wáitān　The Bund
7. 谈情说爱　tán qíng shuō ài　be in love

## B. 这是为什么?

为什么在住房上有这么严重的问题?是房子盖得少吗?不!近十年来,中国盖了1800多万套房子,有6000多万户住上了新房,可是房子还是不够!

为什么?

这是为什么?

当然,"住房难"和中国人口多、增长快有很大关系,但是最主要的原因还是住房制度有严重问题。

第一,长期以来,中国的住房都是政府盖。这些房子,房租很低很低,国家为盖新房子花了很多钱,维修房子花了很多钱,可是这些钱根本收不回来。所以国家在房子问题上只有支出,没有收入。

第二,盖好的房子不卖,而是由单位分配。因为房租那么低,所以大家都想住大房,住好房,这就造成了机会不均等。于是有一些人，他们利用手中的权力，不但为自己分好房子，而且还为自己的儿子、孙子分配房子，人们很有意见。

第三，由于这种住房制度，使人们产生了一种想法，住房不是商品，不用花钱买，有钱去买别的……因此，你会看到这样奇怪的现象：一家五六口人，挤在一间十二三平方米的小屋里，家里却有几千块钱的日本彩色电视机、洗衣机、冰箱……一位老工人说："有钱不买这些买什么？房子有单位分配，房租又那么低，谁会去花钱买房子？"

这种住房制度的结果使国家负担越来越重，房子不断地盖，越盖越不够住……怎么办？唯一的办法是改革住房制度！

1. 制度　zhìdù　system
2. 维修　wéixiū　maintain
3. 根本　gēngběn　at all
4. 支出　zhīchū　expenditure
5. 造成　zàochéng　cause
6. 均等　jūnděng　equal
7. 利用　lìyòng　take advantage of
8. 意见　yìjiàn　complaint
9. 商品　shāngbǐn　commdity
10. 现象　xiànxiàng　phenomenon
11. 负担　fùdān　burden
12. 唯一　wéiyī｜only

## 1.3  抢购风

1987 年以前,中国的老百姓已经有 30 多年不谈论涨价的事情了,因为许多商品的价格 30 多年来从没改变过。但是,自 1988 年以来,已没有比物价更热门的话题了。近年来,大部分商品(特别是日常生活用品)的价格都在不断上涨。中国的老百姓已经习惯了稳定的物价,现在这种情况使他们从心里感到恐慌。于是,一有关于涨价的消息传出,社会上就会掀起一股抢购风潮。

1988 年 6 月中旬,在西安市有一个小道消息说,从 7 月 1 日起,有 1000 多种商品要大幅度涨价。于是,人们也不管这消息是真是假,刚一听说,就马上跑到百货商店去抢购各种商品。抢购的特点是越贵越要买,实际上是把货币变成实物,收藏起来。

6 月 23 日早晨,西安各大商店还没开门,门口已经挤满了人。门一打开,人群就像潮水一样涌了进去。有的人两只手一手抓住一辆自行车,好像怕被别人抢走似的,赶忙叫来售货员。交了钱以后,挑也不挑,推着就走。还有的人骑来了三轮车,一家人一齐冲进商店,每人抢到一台洗衣机,一共抢了 7 台,满满地装了一车,高高兴兴地拉回家去了。可是,到家一试,7 台之中,竟有 5 台有毛病。

有家商店的电冰箱,以前平均每天卖出 3 台,那几天平均每天卖出 52 台。更令人吃惊的是,这家商店原来有近万台电扇,由于式样陈旧,无人购买。可是,当抢购风刮来以后,不到一个星期,这批电扇就全卖光了。有的人一下子竟买了14台。一位在这里工作了20多年的老售货员说："从来没见过这样的阵势，像龙卷风一样，人们都疯了！"

6月的西安，正是最热的季节，气温高达三十七八度。然而，在这样的天气里，一种价格昂贵的毛毯平均每日销售量达149条，有一天竟卖了310条！而过去，一个月也卖不出去几条。最令人奇怪的是白布，过去除非谁家办丧事，要不然很少有人买，平均每天销售量不过20多米。但是，在6月24日到26日的三天之中，白布的销售量猛增了100倍，平均每天卖出2406米！有的人一次竟买了几百米白布。

谁家也不需要7台洗衣机，14台电扇，几百米白布，可是，人们为什么还要买呢？

## 生词　　NEW WORDS

1. 抢购　qiǎnggòu　　*V*. rush to purchase

2. 风潮　fēngcháo　　*N*. agitation; unrest

3. 涨价　zhǎngjià　　*VO*. rise in price

4. 价格　jiàgé　　*N*. price

5. 热门　rèmén　　*Sv*. popular; in great demand

6. 特别　tèbié　　*Adv*. especially

7. 稳定　wěndìng　　*Sv*. stable

8. 恐慌　kǒnghuāng　　*Sv*. panic

9. 传出　chuánchū　　*V*. spread

10. 掀起　xiānqǐ　　*V*. set off (a movement, etc.)

11. 股　gǔ　　*M*. for unrest

12. 中旬　zhōngxún　*N.* the middle ten days of a month

13. 小道消息　xiǎodào xiāoxi　*N.* hearsay；rumor

14. 大幅度　dà fúdù　*N.* great extent；large scope

15. 实际上　shíjìshàng　*Adv.* as a matter of fact

16. 货币　huòbì　*N.* currency

17. 实物　shíwù　*N.* material object

18. 收藏　shōucáng　*V.* store up；collect（rare items）

19. 挤满　jǐmǎn　*RV.* filled to capacity

20. 涌　yǒng　*V.* gush；surge

21. 冲　chōng　*V.* dash；rush

22. 竟　jìng　*Adv.* unexpectedly

23. 电冰箱　diànbīngxiāng　*N.* refrigerator

24. 令人　lìngrén　*VO.* it makes one ……

25. 电扇　diànshàn　*N.* electric fan

26. 由于　yóuyú　*Prep.* due to；owing to

27. 式样　shìyàng　*N.* style

28. 陈旧　chénjiù　*Sv.* old-fashioned；outmoded；obsolete

29. 购买　gòumǎi　*V.* purchase

30. 刮　guā　*V.* stir up；（wind）blows

31. 龙卷风　lóngjuǎn fēng　*N.* tornado

32. 疯　fēng　*V.* crazy；insane

33. 季节　jìjié　*N.* seasons

34. 昂贵　ángguì　*Sv.* expensive

35. 毛毯　máotǎn　*N.* woollen blanket

36. 销售量　xiāoshòu liàng　*N.* sales volume

37. 白布　báibù　*N.* plain white cloth

38. 除非…要不然…　chúfēi…yàobùrán…　unless …otherwise…

39. 丧事　sāngshì　*N.* funeral arrangements

40. 猛增　měngzēng　*V.* increase drastically
41. 一百倍　yībǎi bèi　*Nu.* one hundred times

## 常用词组　COMMON PHRASES

### 1. 物价
物价上涨　wùjià shàngzhǎng　price（keeps）soaring
物价稳定　wùjià wěndìng　price（being）stable
稳定物价　wěndìng wùjià　stabilizing the price

### 2. 热门
热门书　rèmén shū　popular books
热门话题　rèmén huàtí　popular topics
热门货　rèmén huò　popular merchandise

### 3. 稳定
生活稳定　shēnghuó wěndìng　life（being）stable
社会稳定　shèhuì wěndìng　society（being）stable
心情稳定　xīnqíng wěndìng　mood（or feelings）
　　　　　　　　　　　　　　　（being）calm

### 4. 收藏
收藏家　shōucán jiā　collector（of books, an-
　　　　　　　　　　　　　tiques, etc.）
收藏名画　shōucán mínghuà　collect famous paintings

### 5. 令人
令人高兴　lìngrén gāoxìng　make（sb.）happy
令人失望　lìngrén shīwàng　make（sb.）disappointed
令人生气　lìngrén shēngqì　make（sb.）mad

### 6. 陈旧

| 思想陈旧 | sīxiǎng chénjiù | the thoughts （or ideas） are outdated |
| 陈旧商品 | chénjiù shānpǐng | old merchandise; outmoded stuff |
| 陈旧货物 | chénjiù huòwù | old merchandise |

## 语法　　GRAMMAR

1. Time phrase: Being an uninflected language, Chinese has no "tense" particle which enables one to clearly identify the time frame of a message. As a result, Chinese developed a large number of time phrases to provide a sense of time for messages. You should pay special attention to these time phrases in order to put the message you read in a proper time perspective. This lesson will discuss 4 "time phrases": a. …lái （来）, "for（a length of time）"; b. zìcóng…yǐlái（自从…以来）, "since （a particular time）"; c. cóng…qǐ（从…起）, "starts/started from（a particular time）"; d. búdào…（不到…）, "less than（a length of time）". All of these time phrases（except "búdào"）are normally placed before the subject, but they may also be placed after the subject.

As a further point of interest, note that in using verbs of movement（"cóng," "lái", etc.）to describe time, Chinese view it as dynamic rather than static—time moves on incessantly. When "lái" is used, "time" is thought of as moving on towards the point of reference（in this case, the time of speaking or writing.）

a. …来　　（length of time）＋lái

This time phrase expresses the idea that a certain situation started some time in the past and has remained the same up to the time of speaking or writing.

32

Examples：

①十多天来连着下雨。

It has rained continuously for the last ten days and more.

②近年来物价越来越稳定。

In recent years (for the last few years) commodity prices have become more and more stable.

③这几个星期来百货商店的价格涨了不少。

In recent weeks, the prices of the merchandise in department store have risen considerably.

b. 自从…以来　　zìcóng＋(specific time)＋yǐlái

Like "…lái," this time phrase also starts in the past and moves on towards the time of speaking or writing. The difference between the two phrases is that "zìcóng…yǐlái" identifies an exact moment of time in the past. Note that this specific time in the past may be indicated by the name of a month, a year, etc, or even by an event. Syntactically, "jiù" is often included in sentences containing this time phrase.

Examples：

①自从 1988 年以来他就在商品交易所工作。

He has worked in the commodity exchange since 1988.

②自从夏季以来那种电冰箱就成了热门货了。

That type of refrigerator has become a hot item since the summer.

③自从物价上涨以来老百姓的购买力就越来越低了。

Since the price hike people′s buying power has decreased more and more.

c. 从…起　　cóng＋(specific time)＋qǐ

This time phrase stresses the starting point in time for an action or situation. The starting point referred to may occur in the past or in the

33

future.

Examples：

①物价从三月起大幅度地上涨。

Commodity prices have risen extensively since March.

②从三月起这种电冰箱的设计式样要改变了。

As of March, the design for this type of refrigerator will change.

③参加体育活动的人数从五月起增涨了几百倍。

The number of people participating in the sports activities has risen several hundred-fold since May.

d. 不到⋯　　búdào＋(a length of time)

Examples：

①这个电视台成立了不到一年。

This television station has been established for less than a year.

②不到两个小时买卖就交易成了。

In less than two hours, the business succeeded in making a deal.

③他工作了不到半年就已经发现工厂有许多问题了。

Working on the job for less than half a year, he has already discovered many problems in the factory.

2. 把⋯V 成⋯　　bǎ⋯V-chéng⋯

　　　　　　　　NP1＋bǎ＋NP2a＋V＋chéng＋NP2b

The message of this pattern expresses the fact that an action has/ had been applied to an object. Such an action has changed the object from its original state into another state. NP1 represents the actor or agent, NP2 represents the object acted upon. NP2a is the original state of the object, while NP2b is the state after the change has been effected.

Examples：

34

①我们把大家分成两个小组讨论问题。

We separated these people into two small groups to discuss problems.

②请小心不要把"太"字写成"犬"字。

Please be careful, don't write "tài" as "quǎn".

③火车站临时把检票厅改成候车室。

The railroad station temporarily changed the place where tickets are checked into a waiting room.

3. ···被···V···　　　···bèi···V···

　　　　　NP1＋bèi＋NP2＋V＋Complement

Syntactically this is a structure indicating the passive voice. The passive marker "bèi" is interchangable with "ràng"（让）or "jiào"（叫）in the colloquial language. The verb must be an action verb, and it cannot be used without a complement. Semantically the structure is as follows：

　　　recipient of＋bèi＋actor/agent＋the action ＋state of the recipient affected by the action

The structure shows that some entity was affected by an action. NP1 is the entity acted upon, while NP2 represents the agent performing the action. Here we should be especially careful to note that the Chinese passive can only talk about things which actually exist. Thus, the English passive sentence "The book is written by Smith". cannot be translated into the Chinese passive construction, since before publication no writing exists in "book" form.

Examples：

①他从来没被妈妈打过。

He has never been beaten by his mother. (for purposes of discipline).

35

②他买的洗衣机被别人抢走了。

The washing machine that he bought was snatched away by
somebody else.

③那么陈旧的电扇也被人买走了。

Even a fan this obsolete was bought by someone.

Although the meanings of the three words ("bèi", "ràng" and
"jiào") are very close, their syntactic behavior is not exactly the same.
In sentences having "ràng" or "jiào" as the passive marker, the actor or a-
gent must be clearly identified in writing. In sentences having the pas-
sive marker "bèi" the actor or agent may be implicit. Thus, sentences
①, (② and③ above may omit the actor or agent, as in④,⑤ and⑥
below:

④他从来没被打过。

He has never been beaten。

⑤他买的洗衣机被抢走了。

The washing machine that he bought was snatched away.

⑥那么陈旧的电扇也被买走了。

Even a fan this obsolete was bought.

4. 由于    yóuyú

"Yóuyú" is used only in the written language. "Yóuyú" points out
a reason or a cause. The entire construction indicates that a result or
condition follows from some reason or cause. Notice that "yóuyú" may
be interchanged with "yīnwèi", but that the two words do not behave
the same way. Used in both the spoken and written language, a clause
including "yīnwèi" may be the first or the second clause of a complex
sentence. A clause including "yóuyú", however, can only be the first
clause in a complex sentence. Another point to note is that "yóuyú" may
be followed by a clause or simply by a noun phrase, while "yīnwèi"

36

must be followed by a clause.

Examples：

①由于物价不稳定市民都感到恐慌。

Residents of the city feel panic owing to the instability of prices.

②由于工作努力，李四年底拿到了很多奖金。

Owing to hard work, Li sì received a large bonus at the end of the year.

③他由于工资太低租不到好的房子住。

Owing to his low monthly pay, he is not able to rent a good house.

5. 然而　rán'ér

　　　　clause1, rán'ér clause2

"Rán'ér" connects 2 clauses with contrasting meanings. Used in the written language, "rán'ér" is interchangeable with "kěshì" (可是) or "dànshì" (但是). But unlike "kěshì" "rán'ér" appears only before the subject of the second clause. In addition, when the main verb of the second clause is "shì", "rán'ér" is definitely preferable to "kěshì" for stylistic purposes.

Examples：

①我的老家虽然不是广州，然而我常去。

Although my hometown is not Canton, I often go there. (In this sentence, "rán'ér" my be replaced by "kěshì" or "dànshì").

②这篇文章虽然短，然而读起来却十分有意思。

Although this essay is short, it is very interesting to read. ("Rán'ér" may be replaced by "kěshì" or "dànshì").

③我说的你可能不相信，然而是事实。

You may not believe what I said; it is, however, a fact.

("Rán'ér" is definitely preferred in this sentence because the main verb of the second clause is "shì").

6. 达    dá

S+SV+dá+(Nu+M)

Used only in the written language, the pattern suggests that the subject reaches a certain amount. That pattern has limited application. The SV which precedes "dá" must be measurable ("tall", "many", "long") and in this pattern "dá" is always followed by a "number-measure" phrase. The stative verbs used in this pattern must connote the positive side of the implied polarity, such as "gāo", "tall" (not "ǎi", "short"), etc.

Examples：

①此人高达七尺,是全厂最高的工人。

This person is as tall as seven feet, (he) is the tallest worker in the entire factory.

②本学年,学汉语的学生多达三百。

Students taking Chinese this year are as many as 300. ("……[number] as many as 300. ")

③这条河长达一百五十里。

This river is as long as one hundred and fifty miles. (The length of this river reaches one hundred and fifty miles. )

④那个百货商店一天之内卖出的毛毯达两百条。

The number of woollen blankets sold in one day by that department store was as many as two hundred. (Within a day, that department store sold as many as two hundred woollen blankets. )

7. 除非…要不然…    chúfēi…yàoburán…

chúfēi+clause 1, yàoburán+clause 2

This pattern indicates a conditional sentence in which the first clause states a condition and the second clause a consequence. However, in this pattern there is no direct link between condition and consequence;rather,the link is contrastive;the consequence stated in clause 2 will occur unless a condition stated in clause 1 intervenes. "Yàoburán" (or else) is usually not translated into English.

Examples：

①除非你去请他,要不然他不会来。

Unless you go to invite him, he is not likely to come.

②除非临时有事,要不然我们一定八点出发。

Unless something happens at the last minute, we will leave at eight.

③除非物价稳定下来,要不然人心会越来越恐慌。

Unless commodity prices can be stabilized,the public (people's mind)will become more and more panicky.

## 练习　　EXERCISES

**一.填空：**

　　长期以来,中国的物价一直是(　　)的,有许多商品的(　　)从来没(　　)过,所以老百姓也从来不(　　)涨价的事情。但是这几年,物价成为一个(　　)话题,因为很多商品的价格都在不断(　　),而且有的商品的价格还上涨得非常(　　),这种情况使人民群众感到(　　)。于是,一听说要涨价了,社会上就(　　)一股(　　)风潮。

**二、造句：**

1. 涨价　　2.热门　　　　　　　　　3.稳定

4. 实际上　5.竟(needs an antecedent)　6.令人

7. 恐慌　　8.…来　　　　　　　　　9.自从…以来

10. 不到…    11. 变成           12. 收藏起来

13. 被        14. 多达           15. 由于

## 三. 回答问题：

1. 为什么在 1987 年以前对物价问题都不太关心？

2. 自 1988 年以来中国各地老百姓谈论得最多的是什么问题？这个问题对老百姓有什么影响？对社会有什么影响？

3. 1988 年六月中旬在西安发生了一件什么事？起因是什么？有什么特点？

4. 为什么有一个人要自己一个人买两辆自行车，这两辆自行车都是最好的货吗？

5. 有一家人一共买了几台洗衣机？这些洗衣机都是好货吗？他们怎么把这些洗衣机运回家去？

6. 有一家卖电器的商店在一天内卖了多少台电冰箱？

7. 这家商店有多少台电扇，这些电扇质量如何？他们卖了多少？

8. 西安六月的气温如何？在这种气温下什么货物最不可能卖出去？结果如何？

9. 为什么作者认为卖白布卖得多是很反常的事？

10. 西安老百姓在六月一个月内，购买的货物反常地多。这是不是表示购买力特别强？

## 四、听力练习（请听磁带）。

## 五、阅读下列短文：

### 买　鞋

过了中秋节，天气一天比一天凉，在高中上学的大儿子要买布鞋，于是我去了百货商店。

售货员拿给我一双黑色白塑料底的布鞋，我一看，上面写着：

40

26 号、上海、6 元 9 角 8 分。

"请问,同志,有没有比这好点儿、价格比这便宜点的?"

售货员笑了:"这是最便宜的了,因为这是两年前定的价格,要是现在……"

我马上给了钱,买了一双,走了。走着走着,到了小商品市场。忽然听见有人喊:"买鞋啊!上海的布鞋,便宜,5 块钱一双,快来买啊!"

我走近了卖鞋的,那人一眼看见我手中的鞋,说:"一样的货,你那 7 块钱一双,对不对?我这 5 块钱一双,一双便宜两块钱!"

我拿起了一双鞋:26 号、上海、5 元。除了价钱,别的都一样,这样的机会不能丢了,我又花 5 块钱买了一双。

走了不远,听见有人喊我,一看,原来是我的邻居老王,他也在小商品市场卖货。

"你买鞋怎么不来我这儿买,来,一样的货,我卖一双给你,别人买要 4 块钱,你买只要 3 块 5 毛。"

"老王,我已经买了两双了,你还是卖别人吧,这么便宜卖我你要亏本的。"我说。

"哪里,哪里。"老王说:"你不知道,这些布鞋由于式样陈旧,所以大幅度降价,我从工厂买来的,每双才 3 块钱。"

听了老王的话,我不知说什么好,给了他 3 块 5 角钱,又买了一双黑布鞋。

拿着三双"26 号、上海"的黑布鞋,我走回家去……

1. 中秋节　zhōngqiū jié　the Midǒautumn Festival
2. 布鞋　bù xié　cloth shoes
3. 塑料　sùliào　plastics
4. 货　huò　goods
5. 亏本　kuī běn　lose money in business

## 2. 教育　就业

　　1949 年以前,中国的教育非常落后。全国人口中80％以上的人是文盲,学龄儿童入学率只有 20％左右,全国各种学校学生人数只占全国人口的 5％左右。

　　1949 年以后,中国政府非常重视教育,各类学校都有了很大的发展。拿大学来说,在过去的 10 年里增长了一倍,从 1979 年的 500 所发展到 1989 年的 1075 所。各类学校的学生人数也大大增长。特别是 1986 年以后,中国政府实行九年义务教育制度,所有六岁半的儿童都必须进入学校学习,学龄儿童入学率达到 97.1％。全国人口中文盲率下降到 20％左右。同时,各类业余大学,职业中学也迅速发展。

　　但是,由于教育经费不多(1989 年政府花在每个学生身上的钱平均数是 422 元),因此办学条件比较差。特别是中小学,房子不够,在农村,学校房子的情况更坏,有些是危房。中国的教育还是比较落后的,能上大学的人还很少。最近几年,中国的教育又出现了新问题,因为社会上做买卖的人越来越多,这些人比知识分子的收入高得多,所以许多人认为读书没有用。于是一些农村的孩子不去上学,帮助父母工作、挣钱;大学生甚至研究生也有退学的。他们有的去找一个好工作,有的出国……,有的教师也不教书了,去作买卖……

本单元的几篇课文从不同方面反映了中国当前的教育、就业情况。

## 生词　　NEW WORDS

1. 教育　jiàoyù　*N*. education
2. 就业　jiùyè　*VO*. get a job
3. 落后　luòhòu　*Sv*. fall behind
4. 文盲　wénmáng　*N*. illiterate, illiteracy
5. 学龄　xuélíng　*N*. school age
6. 儿童　értóng　*N*. children
7. 入学率　rùxuélǜ　*N*. the rate of starting school
8. 人数　rénshù　*N*. number; figure
9. 占　zhàn　*V*. make up
10. 重视　zhòngshì　*V*. lay emphasis on; emphasize
11. 类　lèi　*M*. kind, type
12. 拿…来说　ná…láishuō　for example
13. 所　suǒ　*M*. for building
14. 义务教育　yìwu jiàoyù　compulsory education
15. 制度　zhìdù　*N*. system
16. 达到　dádào　*V*. reach; come to
17. 下降到　xiàjiàngdào　*V*. go down
18. 业余大学　yèyú dàxué　spare time university
19. 职业中学　zhíyè chōngxué　vocational high school
20. 迅速　xùnsù　*Adv*. rapid; speedy
21. 经费　jīngfèi　*N*. funds; outlay
22. 花　huā　*V*. spend; expend
23. 办学　bànxué　*VO*. run the schools

44

24. 条件　tiáojiàn　*N.* condition

25. 差　chà　*Sv.* not up to standard; bad

26. 农村　nóngcūn　*N.* rural area; village

27. 情况　qíngkuàng　*N.* condition; circumstances

28. 危房　wēifáng　*N.* a house about to fall

29. 知识分子　zhīshifèngzǐ　*N.* intellectual

30. 挣钱　zhèngqián　*VO.* earn money

31. 甚至　shènzhì　*Con.* even; so far as to

32. 退学　tuìxué　*VO.* quit school

33. 当前　dāngqián　*Sv.* at present; current

# 2.1　我是职业高中生

　　我是一个学财会的职业高中生,跟待业青年比,我是个幸运儿。

　　你了解待业青年吗?他们初中毕业后,想继续上学,考不上;想找工作,找不到,只好在家里等待,心里苦恼极了。而我不但有学上,而且毕了业会有一个好工作——当会计。现在社会上缺会计,我们这些学会计的可是热门货。无论什么人,听说我学会计,都异口同声地说:"好!"

　　好是好,这我不否认,可是我也有烦恼,因为我们是在职业学校上课的中学生,因此要学的课程太多了,会计课程当然都得学,象会计原理、经济学、企业管理……等;普通高中的课程也都得学。我每天除了上课,就是做功课,很少有时间参加别的活动(比如看电影、打球、聊天……)。另外,学校还有规定:两门主科考试不及格的取消职业高中生的资格。这可真压得我们喘不过气来,有时候我简直受不了啦!可一想起那些待业的同龄人,我又觉得自己太幸运了。于是,我又忘了自己的烦恼,反而替他们着急、惋惜。

我们职业高中生学了东西可以马上就用。比如我们班有几个同学,利用暑假去给个体户结帐、检查仓库,又轻松又新鲜,既实际又得钱。还有学美术的职业高中生,给一些单位的商品画广告,一次就拿一百来块,真是一举两得的美差事。

现在离毕业只有一年时间了,我想参加明年的全国高等学校统一招生考试,读了十多年书,不去考一考太遗憾了,也许我能考上大学呢!即使考不上,心里也不会太难过,因为我努力了。考不上就去当会计,这也不错。

## 生词　　NEW WORDS

1. 职业　zhíyè　*N*. profession;professional
2. 高中生　gāozhōngshēng　*N*. senior high school student
3. 财会　cáikuài　*N*. finance and accounting
4. 待业　dài yè　*VO*. await job assignment
5. 幸运儿　xìngyùn ér　*N*. a lucky person
6. 初中　chūzhōng　*N*. junior high school
7. 等待　děngdài　*V*. wait
8. 苦恼　kǔnǎo　*Sv*. depressed
9. 会计　kuàijì　*N*. accountant
10. 缺　quē　*V*. be short of
11. 热门货　rèménhuò　*N*. goods in great demand

12. 异口同声　yìkǒutóngshēng　*Ph.* with one voice(everyone has the
　　same opinion)used usually as *Adv.*

13. 否认　fǒurèn　*V.* deny

14. 烦恼　fánnǎo　*N/Sv* . trouble;vexation

15. 课程　kèchéng　*N.* course

16. 原理　yuánlǐ　*N.* principle

17. 经济学　jīngjìxué　*N.* economics

18. 企业管理　qǐyè guǎnlǐ　business management

19. 普通　pǔtōng　*Sv.* general;ordinary;common

20. 活动　huódòng　*N.* activity

21. 打球　dǎ qiú　*VO.* play ball

22. 聊天　liáo tiān　*VO.* chat

23. 规定　guīdìng　*V/N.* regulation

24. 主科　zhǔkē　*N.* major

25. 及格　jígé　*V.* pass(a test)

26. 取消　qǔxiāo　*V.* cancel

27. 资格　zīgé　*N.* qualifications

28. 压　yā　*V.* press

29. 喘不过气来　chuǎn bu guò qi lái　*RV.* out of breath

30. 同龄　tónglíng　*N.* of the same age

31. 反而　fǎn 'ér　*Con.* on the contrary

32. 惋惜　wǎnxī　*V.* feel sorry for somebody or about something

33. 暑假　shǔjià　*N.* summer vacation

34. 个体户　gètǐhù　*N.* a small private business(a term used only in
　　China)

35. 结帐　jiézhàng　*VO.* to settle accounts

36. 检查仓库　jiǎnchá cāngkù　*VO.* to check warerhouse stocks

37. 轻松　qīngsōng　*Sv.* relaxed;light(work)

38. 新鲜　xīnxiān　*Sv.* new/fresh(experience,food,etc.)
39. 实际　shíjì　*Sv.* practical
40. 美术　měishù　*N.* arts and crafts
41. 商品　shāngpǐn　*N.* merchandise
42. 广告　guǎnggào　*N.* advertisement
43. 一举两得　yījǔliǎngdé　*Ph.* kill two birds with one stone
44. 美差事　měichāishì　*N.* a terrific job
45. 高等学校　gāoděng xuéxiào　colleges and universities
46. 统一招生　tǒngyī zhāoshēng　a hational unified entrance examination for college students
47. 遗憾　yíhàn　*Sv.* (it's a pity that)be regrettable
48. 即使　jíshǐ　*Con.* even if

# 常用词组　COMMON PHRASES

1. **普通**

普通课程　pǔtōng kèchéng　general curriculum

普通人　pǔtōng rén　common people

普通话　pǔtōnghuà　common language(standard Chinese)

2. **职业**

职业高中　zhíyè gāozhōng　vocational high school

职业学校　zhíyè xuéxiào　vocational school

职业病　zhíyèbìng　occupational disease

3. **活动**

参加活动　cānjiā huódòng　to participate in activities

政治活动　zhèngzhì huódòng　political activities

业余活动　yèyú huódòng　spare time activities

48

4. **取消**

| 取消资格 | qǔxiāo zīgé | to disqualify |
| 取消会议 | qǔxiāo huìyì | to cancel a meeting |
| 取消命令 | qǔxiāo mìnglìng | to cancel an order |
| 取消决定 | qǔxiāo juédìng | to cancel a decision |

5. **资格**

| 审查资格 | shěnchá zīgé | to examine qualifications |
| 有资格 | yǒu zīgé | to be qualified |
| 没资格 | méi zīgé | to lack qualification |
| 老资格 | lǎo zīgé | old hand; veteran |

6. **单位**

| 工作单位 | gōngzuò dānwèi | work unit |
| 生产单位 | shēngchǎn dānwèi | production unit |
| 单位领导 | dānwèi lǐngdǎo | leader of a unit |

7. **统一**

| 统一招生 | tǒngyī zhāoshēng | nation-wide selection for admission |
| 统一思想 | tǒngyī sīxiǎng | unified thought; to unify thought |
| 统一行动 | tǒngyī xíngdòng | unified action; to unify action |

## 语法　GRAMMAR

1. **跟…(相)比**　　gēn…(xiāng)bǐ

The expression indicates comparison. It may be put at the beginning of a sentence or immediately following the subject. The word "xiāng" may be omitted.

Examples：

①跟普通高中（相）比，职业高中的课程要多一些。

　　Compared to a regular high school, a vocational high school may have more courses.

②跟租私房（相）比，住政府分配的房子要便宜多了。

　　Compared to renting a room privately, living in a government assigned room is likely to be much cheaper.

③跟同龄人（相）比，他是个幸运儿。

　　Compared to his peers, he is a lucky guy.

④中国现在有十一亿人口，跟一九四九年比，增加了六亿五千万。

　　China now has a population of 11 billion, compared to 1949, it has increased by 6.5 million.

2. **好是好，可是（但是，就是）…**　　hǎoshìhǎo, kěshì(dànshì, jiùshì)

…It's true that but…

The expression "hǎoshihǎo" in the 1st clause indicates the recognition of a certain quality or condition, while the 2nd or main clause qualities the 1st assertion.

Note that the 可是 "kěshi(dànshi, jiùshi)" must be introduced in the 2nd clause.

Examples：

①这件衣服好是好，就是太贵了，我买不起。

　　It's true that this piece of clothing is good, but too expensive I can't afford to buy it.

Other SV may be used instead of hǎo.

②学习汉语难是难，可是很有意思。

　　It's true that studying Chinese is difficult, but it is interesing.

50

③这台洗衣机便宜是便宜，可是质量不太好。

It's true that this washing machine is inexpensive, but it's quality is not too good.

④他瘦是瘦，但是身体很健康。

. It's true that he is skinny, but he is healthy.

3. **除了…就是…**　　　chúle…jiùshì…

It may be understood as "in addition to A & B", or "except for A & B", depending on the sense of the main clause. When the main clause is negative, "chūle…jiùshi…" definitely means "except for A and B".

Examples：

①他每天除了上课就是做功课，没有时间锻炼身体。

Everyday, except for going to class and doing homework, he has no time for amusement.

②这儿天除了刮风就是下雨。

These last few days, in addition to being windy, it has been raining..

③在餐厅里吃饭，除了米饭就是面条，没有别的。

When eating in the dining hall, there are only rice and noodles (for starch), nothing else.

4. **反而…**　　　fǎn'ér　　to the contrary

"Fǎn'ér" connects two clauses in an opposing sense.

Examples：

①他不但没有哭，反而笑了。

He did not cry. He laughed. (In English a conjunction is not necessary. In Chines "反而" must be included.）

②风不仅没停，反而更大了。

The wind has not stopped; to the contrary, it is even stronger.

③他学汉语比我晚，可是汉语说得反而比我好。

He began studying Chinese later than I, but he speaks Chinese better than I.

④已经四月份了，天气怎么反而冷起来了。

It is already April, how can it have turned so cold.

5. **即使…也**　　jíshǐ…yě　　even if

"Jíshǐ" is used in the lst clause to express an extreme supposition, and "yě" which is in the 2nd clause indicates the consequence.

Examples:

①即使大家都不去，我也要去。

Even if no one goes, I still want to go.

②即使下雨也不会太大。

Even if it rains, it cannot be too heavy.

③我的考试成绩即使得不了100分，也有90多分。

Even if I can not get 100 in the exam, I will still get over 90.

练习　　EXERCISES

**一、填空：**

　　初中毕业后小王考上了美术（　　）高中，在（　．）学校里，小王要学的（　　）很多，数学、语文、外语这些（　　）高中的课程要学，画画、广告、配色……这些美术课程也得学，所以忙得（　　），很少有时间（　　）别的活动。另外学校还有（　　）：两门课程考试不及格的就（　　）职业高中生的（　　）。虽然课程很多，可是，跟（　　）青年比，小王觉得很（　　），因为待业青年在家里等待，心里很（　　），而小王，不但（　　），而且毕业后有一个好工作。

**二、用指定词完成句子：**

52

a. 参加

    1、今天晚上有跳舞晚会，_____。

    2、职业高中生课程很多，_____。

    3、我想明年去中国学习汉语，所以_____。

b. 利用

    1、我打算_____去欧洲旅游。

    2、职业高中生_____为一些单位工作。

    3、他经常_____为他自己做事。

三、造句：

    1.异口同声    2.否认    3.规定    4.惋惜

    5.取消    6.反而    7.即使    8.遗憾

    9.好是好

四、听力练习（请听磁带）。

五、阅读下列短文：

## 没有围墙的大学

    在北京城北边有一座和普通居民住宅一样的小四合院，小四合院的门口却挂着一块大牌子：中华社会大学。这是首都第一家民办（自费）大学。这所大学有11个系、95个班。这95个班分散在北京城的东南西北方的22个教室里，人们叫它是"没有围墙的大学"。这所小四合院就是这所大学的办公室。

    中华社会大学是1982年成立的。老师是从各个大学请来的，都很有经验，学生是没有考上大学的高中生。这些学生想上大学，可是没考上，他们很苦恼。当他们知道北京有一所民办大学时，他们真高兴。和普通（公办）大学比，这所大学的条件差多了，他们要自己交学费，他们没有校园、图书馆，更重要的是他们毕业以后国家不分配工作。可是这所大学的学生学习都非常努力，因为他们知道有这个机会上大学非常不容易,他们是幸运儿。

　　现在这所大学已经有了近5000名毕业生,这些学生大多数受到了社会的欢迎。一名学经济管理的女学生,毕业后去一家工厂工作,由于她工作努力,知识丰富,外语水平高,能够直接和外国商人谈判,很快当了一个丝绸出口公司副经理。还有一位学生,毕业后到一所大学当系主任的秘书,他帮助系主任成立了德语系、中德语言中心……工作做得很好,现在已经被送到德国学习。

　　中华社会大学越办越大,越办越好。他们已经取得了成功。

　　社会办学,自费大学,这是中国当前教育改革的一个方向。

1. 围墙　wéiqiáng　enclosing wall
2. 住宅　zhùzhái　residence
3. 四合院　sìhéyuàn　a compound with houses around a courtyard
4. 民办　mínbàn　run by the private people
5. 分散　fēnsàn　disperse
6. 公办　gōngbàn　run by the government
7. 知识　zhīshi　knowledge
8. 直接　zhíjiē　direct
9. 谈判　tánpàn　negotiations
10. 丝绸　sīchóu　silk
11. 出口　chūkǒu　export
12. 副经理　fùjīnglǐ　assistant

## 2.2　研究生退学风

　　一向热门儿的北京大学物理系,近来却有不少研究生要求退学。据说,至少有十人以"身体欠佳"为理由,要求中断学业，而实际上他们的身体都很健康。

这种在大学里出现的退学风，北大有，其他学校也有。1988年一年中，全国共有700多研究生自动退学。在中国，考研究生很难，考上的人很少，所以，过去一人考上研究生，全家都感到光荣，而现在研究生居然要求退学，这不能不说是一个奇怪的现象。

这种现象的出现，有几方面的原因。

首先，与现行研究生教育政策有关。这几年，越来越多的青年学生想出国留学，可是政府规定，正在攻读硕士学位的研究生不能申请留学，已经毕业的研究生也要工作两年后，才有资格申请自费留学。对急着出国留学的研究生来说，这当然是个障碍。

其次，也有一部分研究生退学是从职业上考虑的。因为，研究生毕业后，由政府分配到学校或科研单位工作，他们的工资不会太高。可是如果去一个大的企业单位，特别是中外合资的企业单位工作，工资是一般研究生的两倍、三倍。于是有些研究生在上学期间，一找到理想的工作就退学求职。

另外，还有少部分研究生由于社会的种种改变，使他们对生活的看法也有了改变。他们觉得社会生活丰富、有趣，而学校生活单调、枯燥。因此，他们决定走出校门。

## 生词　　NEW WORDS

1. 研究生　　yánjiūshēng　　*N*. graduate student
2. 一向　　yīxiàng　　*Adv*. consistently；all along

3. 物理系　wùlǐxì　*N.* the Physics Department

4. 健康　jiànkāng　*Sv.* healthy / *N.* health

5. 身体欠佳　shēntǐ qiànjiā　healthy is not good enough

6. 中断　zhōngduàn　*V.* discontinue

7. 学业　xuéyè　*N.* one's studies

8. 光荣　guāngróng　*Sv.* honoured

9. 现象　xiànxiàng　*N.* phenomenon

10. 现行　xiànxíng　*Sv.* present; in operation

11. 政策　zhèngcè　*N.* policy

12. 留学　liúxué　*V.* go study abroad

13. 政府　zhèngfǔ　*N.* government

14. 攻读　gōngdú　*V.* study; specialize in

15. 硕士　shuòshì　*N.* Master's degree

16. 学位　xuéwèi　*N.* degree

17. 申请　shēnqǐng　*V/N.* apply / application

18. 毕业　bìyè　*V.* graduate

19. 自费　zìfèi　*Sv.* at one's own expense

20. 障碍　zhàng'ài　*N.* obstacle

21. 考虑　kǎolǜ　*V.* think over; consider

22. 科研　kēyán　*N.* scientific research

23. 单位　dānwèi　*N.* unit

24. 企业　qǐyè　*N.* enterprise

25. 中外合资　zhōngwài hézī　*N.* Chinese-foreign joint venture

26. 理想　lǐxiǎng　*Sv.* ideal

27. 求职　qiúzhí　*V.* look for a job

28. 丰富　fēngfù　*Sv.* rich; abundant

29. 有趣　yǒuqù　*Sv.* interesting

30. 单调　dāndiào　*Sv.* monotonous; dull

31. 枯燥　kūzào　*Sv.* uninteresting

## 常用词组　COMMON PHRASES

1. **健康**

| | | |
|---|---|---|
| 身体健康 | shēngtǐ jiànkāng | be in good health |
| 内容健康 | nèiróng jiànkāng | content (of the talk/ passage. etc.) is healthy |

2. **中断**

| | | |
|---|---|---|
| 中断学业 | zhōngduàn xuéyè | to discontinue one's studies |
| 中断外交关系 | zhōngduà wàijiāo guānxī | to suspend diplomatic relations |
| 谈话中断 | tánhuà zhōngduàn | conversation being interrupted |
| 联系中断了 | liánxi zhōngduànle | connections/ relations were suspended |

3. **现象**

| | | |
|---|---|---|
| 自然现象 | zìrán xiànxiàng | a natural phenomenon |
| 表面现象 | biǎomiàn xiànxiàng | superficial phenomenon |

4. **现行**

| | | |
|---|---|---|
| 现行制度 | xiànxíng zhìdù | the present system |
| 现行法令 | xiànxíng fǎlìng | decrees in effect |

6. **政策**

|  |  |  |
|---|---|---|
| 经济政策 | jīngjì zhèngcè | economic policy |
| 改变政策 | gǎibiàn zhèngcè | to change a policy |

**7. 留学**

|  |  |  |
|---|---|---|
| 留学生 | liúxuéshēng | student studying abroad |
| 出国留学 | chūguó liúxué | go study abroad |

**8. 攻读**

|  |  |  |
|---|---|---|
| 攻读中国历史 | gōngdú zhōngguó lìshǐ | specialize in Chinese history |
| 攻读学位 | gōngdú xuéwèi | study (diligently) for a degree |

**9. 申请**

|  |  |  |
|---|---|---|
| 申请留学 | shēnqǐng liúxué | to apply to study abroad |
| 申请奖学金 | shēnqǐng jiǎngxuéjīn | to apply for scholarship |
| 提出申请 | tíchū shēnqǐng | to put forward an application |
| 申请书 | shēnqǐng-shū | application |

**10. 障碍**

|  |  |  |
|---|---|---|
| 学习障碍 | xuéxí zhàng'ài | obstacles to study (zàixuéxíshangde zhàng'ài) |
| 障碍物 | zhàng'àiwù | obstacle; entanglement |

**11.考虑**

|  |  |  |
|---|---|---|
| 考虑问题 | kǎolǜ wèntí | to think over the issue/problem |

58

| | | |
|---|---|---|
| 认真考虑 | rènzhēn kǎolǜ | to consider scriously |
| 12.**分配** | | |
| 分配工作 | fēnpèi gōngzuò | to assign jobs |
| 分配得合理 | fēnpèi de hélǐ | to assign/distribute equitably |
| 按劳分配 | ànláo fēnpèi | distribution according to work |
| 13.**科研** | | |
| 科研单位 | kēyán dānwèi | scientific research u- nit |
| 科研成果 | kēyán chéngguǒ | achievements in scientific research |
| 科研人员 | kēyán rényuán | scientific research personnel |
| 搞科研 | gǎo kēyán | to engage in scientific research |
| 14.**丰富** | | |
| 内容丰富 | nèiróng fēngfù | The content is rich. (rich in content) |
| 物产丰富 | wùchǎn fēngfù | products are plentiful,(bumper crops) |
| 丰富的知识 | fēngfù de zhīshi | a wide range of knowledge |

# 语法　GRAMMAR

1. **一向**　　yīxiàng

"Yīxiàng" functions as an adverb. This may be placed before an adjective or a verb, as its modifier. The adjective so modified may be preceded by "hěn", before taking on "yīxiàng." In cases where the adjective is a monosyllable, "hěn" must be used.

A. When "yīxiàng" is placed before the predicate of the sentence, it tells of a certain quality/attitude of the subject which goes on all the time. It also gives an account of a constant behavior of the subject. In other words, "yīxiàng" concerns the consistency of the condition, not the time when the condition starts or ends.

Examples:

①她的身体一向很好。

She is always in good health.

②这位老师一向对学生和和气气。

This teacher has always treated his/her students amiably.

③北京大学物理系一向很热门。

The Physics Department at Peking University has always been popular.

④小王一向爱好音乐。

Xiao Wang always like music.

⑤中国一向主张大小国家平等。

It has been China's position that countries, regardless of size, should be equal.

B. The phrase "yīxiàng + SV/VO" may also be placed before the subject of a sentence to describe the subject.

Examples:

①一向热门的北京大学物理系,近来却有不少研究生要求退学。

Recently the always popular Physics Department at Peking University, (to one's surprise) has had many graduate students requesting to leave school.

②一向爱好音乐的小王，终于考上了音乐学院。

Xiǎo Wang, who has always loved music, has finally been admitted to a consersatory of music.

## 2. 以 A 为 B　　yǐ A wéi B

Syntactically, this construction has two patterns.

A. A is a noun phrase used to identify the basis by which B, another noun phrase, is designated as a specific name or quality of the subject.

Examples：

①九大行星以太阳为中心。

The sun is designated to be the center of the nine large planets.

②我们以他为榜样。

We consider him as our model.

B. A is a SV or VO construction, and B is a noun phrase. Semantically, A identifies the cause of a condition (or reason) that governs B, the behavior or action of the subject.

Examples：

③有十人以"身体欠佳"为理由，要求中断学业。

There are ten people who use "poor health" as the reason to request the discontinuation of their studies.

④老张答应帮助我，但是以给他 100 元为条件。

Lao Zhang promised to help me, (but) on the condition that I give him one hundred dollars.

## 3. 不仅…(而且)也…　　bùjǐn…(érqiě)ye…

This construction can appear in sentences with one or two subjects. The two adverbs, "érqiě" and "yě", may be used individually or simultancously in the 2nd clause of the sentence. When used they provide further details about the attributes of the subject.

A. S bùjǐn⋯érqiě yě⋯(one subject in the sentence).

Examples：

①我不仅去过中国，而且去过日本。

I have not only been to China, but also Japan.

②这件衣服不仅太贵，也很难看，所以我不买了。

Not only is this dress expensive, it is also ugly. I won't buy it.

③我的同屋不仅学过汉语，而且也学过日语和法语。

My roommate not only has studied Chinese, but Japanese and
French as well.

B. Bùjǐn clause1⋯érqiě clause 2 ⋯(two subjects in the sentence).

Examples：

④不仅中国人喜欢喝茶，(而且)许多外国人也喜欢喝茶。

Not only Chinese love to drink tea, many foreigners do as well.

⑤不仅北大有这种退学风，(而且)其他学校也有。

The trend of dropping out of school occurs not only in Běidà,
but in other schools as well.

Notice that the object of the Chinese sentence ⑤ 这种退学风，may be
moved to the beginning of the sentence. "érqiě" may be dropped but not
"ye".

4. **居然**　　jūrán

Sentences including the adverb "jūrán" express a strong feeling
that some happening exceeds the speaker's expectations or is contrary to
it.

A. Something which should not happen happens.

Examples：

①已经是大学生了，居然不认识这个字。

It's amazing that he is already a college student, and doesn't know this word.

②为了去看电影,小王居然没去上课。

Xiao Wang, surprisingly, didn't go to classes so that he could go to a movie (simply for the purpose of going to a movie).

B. Something which is inconceivable happens.

Examples:

③我真没想到他们居然离婚了。

I am really surprised that they are divorced.

④过去,一人考上研究生,全家感到光荣;而现在研究生居然要求退学…。

In the past, the entire family felt proud if one member attended a graduate school; but who would expect that graduate students now want to drop out of school.

C. Something which is thought to be difficult to accomplish is accomplished.

Examples:

⑤他俩性格完全不同,居然成了好朋友。

Their two personalities are completely different, but surprisingly, they have become good friends.

⑥一个小学生居然写出了这么好的小说,真了不起。

It is terrific that being a grade school student he can, surprisingly, produce such a good novel.

## 练习 EXERCISES

一、根据课文内容判断句子,对的在括号里画"T",错的在括号里画"F":

1. 在北京大学,近来有不少研究生因为身体不好要求退学。

（　　）

2.除了北京大学,别的大学也有不少研究生要求中断学业。
（　　）

3.有一些研究生想出国留学,所以申请退学。（　　）

4.有一些研究生想多得到一些工资,所以申请退学。（　　）

5.在中国,考上研究生很容易,能考上的人也不少。（　　）

6.研究生退学现象一直就很多,所以大家都不感到奇怪。
（　　）

7.出现研究生退学现象,和政府的教育政策有关系。（　　）

8.出现研究生退学现象,和政府的经济政策有关系。（　　）

9.研究生毕业后,工资很高,是大企业单位的两倍、三倍。
（　　）

10.一个研究生,在上学期间没有资格申请出国留学。（　　）

二、造句:

1.一向　　　　2.却　　　　　3.以…为理由

4.不仅…也…　5.全　　　　　6.不能不

7.某　　　　　8.才能　　　　9.对…来说

10.因此　　　 11.出现　　　　12.促使

13.申请　　　 14.枯燥

三、回答问题:

1."身体欠佳"是什么意思?

2.为什么在中国研究生退学是一个奇怪的现象?

3.请述说中国现行教育体制中有关硕士研究生出国留学的规定。

4.在工作分配上,政府与研究生之间的矛盾是什么?

5.部分研究生退学的心理因素是什么?

四、听力练习(请听磁带)。

五、阅读下列短文:

64

# 孩儿妈出国

她出国时别人就不明白："你不是外语学院毕业的吗？怎么还要去学英语？""毕业是毕业了，可是学得不好。"她说。

就这样她去了英国。那所学校叫 Holborn English Language Service。我留在家里带着我们四岁的儿子。

开始，孩儿妈半个月一封信，最近信突然多起来，不到一星期连续五封。我把信都放在桌子上，不知道该怎么回信。

她说她不想回来了，还说让我也去。她说出国这事和吃涮羊肉一样，开始不习惯，吃着吃着就觉得它最好吃了。这个说法真有些可笑，可是我不能不想她提出的问题，因为我不想出去，她又不想回来。

我想起了半年前的情景。我送她去飞机场，她亲口对我说，只去一年，最多两年一定回来。还说，我在家等分房子，等她回来好好过日子。现在房子有了，煤气也有了，可是她却说不回来了。

不管怎么说，那地方我是不想去的。我这儿什么都有，干吗要跑哪儿去？再说还有儿子。

当然，按照她的想法，我先去，有了工作以后再接儿子去。还说如果英国不行就去澳大利亚。总之，就在外边过了。

说心里话，我俩感情不错。结婚后她对我很好。就是在出国这件事上，我俩看法不同。我认为人还是生活在自己的国家自由、幸福；她认为在一个地方生活一辈子太没意思。谁也说服不了谁。

这回我要认真写一封回信，我要写我们结婚前的爱情，我要写我们结婚后的幸福……

儿子已经睡着了，手里还拿着妈妈从英国寄回来的玩具。

台灯发出淡淡的光，很舒服，我希望我的信快些飞到英国。

1. 连续　liánxù　one after another

65

2. 涮羊肉　shuànyángròu　hot-pot mutton
3. 情景　qíngjǐng　situation
4. 亲口　qīnkǒu　in person
5. 煤气　méiqì　gas (natural gas for cooking)
6. 说服　shuōfú　convince
7. 台灯　tándēng　table lamp
8. 淡淡的　dàndànde　dim

## 2.3　"读书无用"论的新冲击

　　浙江大学有一对夫妇都是副教授,有三个孩子。他们辛苦工作了几十年,家里除了书,没有多少其他的东西。后来,老大老二大学毕业了,但他们的生活仍然是那么清苦。前几年,他们的小女儿高考失利,就去杭州市一家高级宾馆做经理助手,几年时间,这个家发生了很大变化,彩电、冰箱等现代化用品进了这个穷教授的家门。老教授骄傲地说:"家里值钱的东西都是小女儿买的。"但骄傲之后,却又非常难过。一辈子献身教育,培养了许多人材,著作也很多,可以说为教育事业做出了很大的贡献,为什么待遇还不如没有读过大学的小女儿!

　　像这一类的事情还有很多。某大学有一位工程师,生活一直很困难,自从没文化的妻子摆了个点心摊以后,一年时间就还清了一切债务,这位工程师多病的脸上也有了红光。另外,还有位二十六岁的青年教师,他家兄弟三人,小学毕业的大哥花十万元造了一栋四层楼,高中毕业的二哥造了一栋三层楼。他大学毕业，却只能住父母留下的小平房，别说造房子，就是结婚也结不起，他考虑许久，决定不教书了。

现在，"读书无用"论重新兴起，许多教师不愿意教书，学生不愿意读书，主要是因为知识分子的生活水平太低。于是，许多学校办起了商店、小卖部等赚钱企业，许多教师到校外兼职工作，增加收入。

## 生词　　NEW WORDS

1. 副教授　fùjiàoshòu　*N.* associate professor
2. 辛苦　xīnkǔ　*Sv.* work hard；go through hardships
3. 清苦　qīngkǔ　*Sv.* poor；in straitened circumstances
4. 高考　gāokǎo　*N.* college entrance examination
5. 失利　shīlì　*V.* suffer a defeat
6. 宾馆　bīnguǎn　*N.* hotel(for VIPS and foreigners)
7. 经理　jīnglǐ　*N.* manager
8. 助手　zhùshǒu　*N.* assistant
9. 发生　fāshēng　*V.* take place；occur
10. 变化　biànhuà　*N/V* change
11. 彩电　cǎidiàn　*N.* color television
12. 冰箱　bīngxiāng　*N.* refrigerator
13. 现代化　xiàndàihuà　*Sv.* modernized
14. 骄傲　jiāo'ào　*Sv.* proud
15. 值钱　zhíqián　*Sv.* valuable；costly
16. 献身　xiànshēn　*V.* give one's life for；dedicate oneself to
17. 培养　péiyǎng　*V.* foster；develop；train

18. 人材　réncái　*N.* a person of ability；a talented person

19. 著作　zhùzuò　*N.* book；writings

20. 待遇　dàiyù　*N.* pay；wages；salary

21. 工程师　gōngchéngshī　*N.* engineer

22. 文化　wénhuà　*N.* culture；education；schooling

23. 摊　tān　*N.* vendor's stand；stall

24. 债务　zhàiwù　*N.* debt；liabilities

25. 兄弟　xiōngdì　*N.* brothers

26. 栋　dòng　*M.* for building

27. 论　lùn　*N.* theory

28. 兴起　xīngqǐ　*V.* rise；bring up

29. 生活水平　shēnghuó shuǐpíng　living standard

30. 小卖部　xiǎomàibù　*N.* a small shop attached to a school，factory，theatre，etc.

31. 赚钱　zhuànqían　*VO.* make money

32. 兼职　jiānzhí　*VO.* hold two or more jobs concurrently

33. 平房　píngfáng　*N.* single-storey house

## 专用名词　PROPER NOUNS

1. 浙江　Zhéjiāng　Zhejiang province
2. 杭州　Hángzhōu　Hangzhou

## 常用词组　COMMON PHRASES

1. **发生**

发生变化　　　fāshēng biànhuà　　　changes have taken place

| 发生问题 | fāshēng wèntí | problems occurred |
|---|---|---|

2. **现代化**

| 四个现代化 | sìge xiàndàihuà | the four modernizations |
|---|---|---|
| 工业现代化 | gōngyè xiàndàihuà | industrial modernization |
| 农业现代化 | nóngyè xiàndàihuà | agricultural modernization |
| 科学技术现代化 | kēxué jìshù xiàndàihuà | modernization of science and technology |
| 国防现代化 | guófáng xiàndàihuà | modernization of national defence |

3. **人才**

| 专门人才 | zhuānmén réncái | people with professional skill |
|---|---|---|
| 科技人才 | kējì réncái | professionals in science and technology |
| 培养人才 | péiyǎng réncái | to train professionals |

4. **待遇**

| 政治待遇 | zhèngzhì dàiyù | political treatment |
|---|---|---|
| 经济待遇 | jīngjì dàiyù | economic treatment |
| 提高待遇 | tígāo dàiyù | enhance the treatment |

5. **文化**

| 文化课 | wénhuà kè | cultural class |
|---|---|---|
| 文化水平 | wénhuà shuǐpíng | cultural level |

文化大革命　　　wénhuà dàgémìng　　　Cultural Revolution

# 语法　　GRAMMAR

1. …之后（以后）　　…zhī hòu（yǐ hòu）

"Zhī hòu" is generally interchangeable with "yǐ hòu" but is more literary. "Zhī hòu" follows a NP or VP, and the entire phrase may go either before the subject or after.

A. N/NP＋zhī hòu

①1949年之后，中国增长了6亿多人口。

Since 1949, the Chinese population has increased more than 6 hundred million.

②那次会议之后，我们没再见过面。

We have not seen each other since that meeting.

③三天之后，他又回来了。

He came back again after 3 days.

B. V/VO＋ zhī hòu

④起床之后，应该到室外活动活动。

After getting up, one should go outside to move one's muscles.

⑤听了他的话之后，我才明白是怎么回事。

Not until I heard what he said did I understand what was going on.

⑥毕业之后，他就去国外了。

He went abroad after graduation.

2. 不如…　　　bùrú…

A. A＋bù rú ＋B：A is not as good as B

　　Functioning as a verb in a sentence "bù rú" links 2NP's, "bùrú"

70

conveys the idea that the quality/condition of the Ist NP cannot match that of the 2nd.

Examples：

①他的汉语很好，我们几个都不如他。

His Chinese is very good. None of us is as good as he.

②他的健康，现在不如以前。

His health is declining. (His health at present is not as good as that of former days. )

③为什么老教授的待遇还不如一个没上过大学的女孩子？

Why is the old professor's salary not as good as that of the girl who has never attended a college？

B. Subject＋bùrú＋predicate：…had better…

Functioning as an abverb "bù rú" goes before the predicate. "Bù rú" conveys a suggestion that what follows is preferable.

Examlpes：

④今天天气不好，咱们不如明天再去吧！

The weather is not good today. We had better go tomorrow instead.

⑤我看不如让小王去办这件事。

I feel that we had better let Xiao Wang take care of this matter.

3. 某　　mǒu

It can go before either a noun or a combination of a measure word and a noun to indicate the meaning equivalent to "such and such"or "a certain……".

Examlpes：

①他出生在美国东部的某城市。

He was born in a certain city in the eastern U. S.

②听说他毕业后去南方的某大学当老师了。

I have heard that after graduation he went to a certain university in the south to be a teacher.

③她把护照丢在旅行路上的某个地方了。

She lost her passport at a certain place on the road while travelling.

④由于某种原因，我不能跟你一起去看电影。

For a certain reason I can't go to see a movie with you.

## 练习　　EXERCISES

一、根据课文内容判断下列句子,对的在括号里画"T",错的在括号里画"F":

1.浙江大学的一对副教授,家里生活很清苦。(　　　)

2.他们的三个孩子都大学毕业了。(　　　)

3.老三在一家大宾馆当经理。(　　　)

4.小女儿的工资比老教授的工资高得多。(　　　)

5.老二为老教授买了许多现代化家具。(　　　)

6.老教授的一生为教育事业做出了很大贡献,他感到很骄傲。
(　　　)

7.有一位二十六岁的青年教师,他大学毕业后造了一栋二层楼房。(　　　)

8.一位青年教师的二哥有一栋三层楼房,大哥有一栋四层楼房。(　　　)

9."读书无用"论对中国的教育影响很大。(　　　)

10.为了赚钱,不少教师找兼职工作。(　　　)

二、用指定词完成下面对话:

1.A:你经常去旅游吗?

B:＿＿＿＿＿＿＿＿＿＿＿＿＿,我还一直没去过。(自从……以

后)

2. A:听说你女儿去了一个赚钱多的单位工作。

B:是啊,我们家_____。(水平)

3. A:最近几年你去过中国吗?

B:去过,中国_____。(发生)

4. A:你儿子大学毕业后分配工作了吗?

B:分配了,在_____当工程师。(某)

5. A:申请去中国留学很容易吧?

B:很容易,_____。(困难)

## 三、回答问题:

1. 浙江大学的一位副教授和他的妻子一共有几个孩子?这几个孩子的教育水平如何?

2. 在他们的孩子中哪一个赚钱赚得最多,他做什么事,他的教育水平如何?

3. 老教授感到骄傲的是什么? 感到难过的是什么?

4. 故事上说到一个工程师,他的妻子作什么事?她赚的钱对他们家有什么帮助?

5. 故事上另外说到一个人,他是一个教师,他们家一共有几个兄弟? 谁的钱赚得最少?

6. 赚钱赚得最多的那个兄弟有什么值钱的东西?

7. "读书无用"论兴起的原因是什么? 结果是什么?

## 四、听力练习(请听磁带)。

## 五、阅读下列短文:

### 谁也没想到

谁也没想到一切发生得那么快,发生得那么突然。

十年前,大家都一样,你一个月几十块工资,我也几十块;你穿一件蓝衣服,我穿一件灰的;你每月吃两次用鱼票买的鱼,我也没有第三次可以吃。

然而，改革了、开放了，政策改变了，变得使一部分人先富了起来。这些人富得那么快，又富得那么让一些人心里不是滋味。下面是作者和一位老师的一段对话，听了这段对话，你想些什么呢？

老师："有一次我去市场买菜，我买了些白菜、萝卜，听见有人叫我老师，一看是个几年前我教过的学生。这学生学习很差，考试常不及格，初中一毕业就离开学校了。现在他在市场上卖菜，长得白白胖胖的。你猜他一个月挣多少钱？"

作者："有七八百块吧？"

老师："一千多！他亲口告诉我的。我估计这还是个保守的数字。一个月挣我一年的工资！聊了几句，这个学生把一只鸡和一块火腿放进我的包里，还说上学时没听老师的话，现在账都算不好……"

作者："你要了吗？"

老师："当然不要！老师怎么能要学生的？我把东西放回去，他很不高兴。"

作者："看来他是真心的。"

老师："真心的也不能要……回到家里，我心里很不平静，晚饭也没吃。"

作者："你是不是觉得不公平？"

老师："是，无论如何我的价值也不会只等于他的十分之一。"

作者："那当然，你文化比他高，能力比他强，要是你也去卖菜，一定挣得比他还要多！"


1. 鱼票　yúpiào　a ration coupon for fish
2. 滋味　zīwèi　taste
3. 白菜　báicài　Chinese cabbage
4. 萝卜　luóbo　radish

5. 估计　　gūjì　　estimate
6. 保守　　bǎoshǒu　　conserrative
7. 火腿　　huǒtuǐ　　ham
8. 平静　　píngjìng　　calm
9. 公平　　gōngpíng　　fair

# 3.恋爱　婚姻

在几千年的封建社会里,中国人的恋爱、婚姻一直受到许多限制,青年男女不能自由恋爱,他们的婚姻要由父母决定。社会地位高的,有钱人家的儿子要找有钱人家的女儿。社会地位低的,穷人的女儿只能嫁给穷人的儿子。结婚以前男女双方不能见面,更不能谈话,结婚以后,不管有没有感情都不能离婚。如果妻子死了,丈夫可以再一次结婚。但是如果丈夫死了,即使妻子很年轻也不能再结婚。因此,在中国"家庭"一直非常稳定,但是,这种稳定需要牺牲个人的感情。

从本世纪中期开始,父母决定婚姻的情况有了根本的改变,青年人可以自由恋爱、自由结婚了。但是传统的婚姻观念还存在,找对象时还必须看对方的社会地位,结婚后不幸福也不愿意离婚,怕别人笑话、看不起,老年人的恋爱会受到子女和周围人的反对。不同的人仍然在用不同的方式压抑自己的感情。

进入八十年代以后,随着经济的不断发展,人们的思想得到了很大的解放,再也不用压抑自己的感情了,可以勇敢地追求爱情和幸福。于是,大学生找农民企业家、老年人第二次结婚、协议离婚等事越来越多,可以说,中国人保守的婚姻观念终于发生了变化。

## 生词　　NEW WORDS

1. 恋爱　liàn'ài　*N.* love
2. 婚姻　hūnyīn　*N.* marriage
3. 封建　fēngjiàn　*N.* feudalism
4. 限制　xiànzhì　*N.* restriction
5. 自由恋爱　zìyóu liàn'ài　have free love
6. 由　yóu　*Prep.* by；through
7. 社会地位　shèhùi dìwèi　*N.* social position
8. 双方　shuāngfāng　*N.* both sides；the two parties
9. 不管　bùguǎn　*Con.* no matter（what、who、how…etc.）
10. 感情　gǎnqíng　*N.* emotion
11. 离婚　líhūn　*V.* divorce
12. 妻子　qīzǐ　*N.* wife
13. 牺牲　xīshēng　*V.* sacrifice；do sth at the expense of
14. 世纪　shìjì　*N.* century
15. 中期　zhōngqī　*N.* middle period
16. 根本　gēnběn　*Adv.* radically．thoroughly
17. 观念　guānniàn　*N.* concept；idea
18. 存在　cúnzài　*V.* exist
19. 对象　duìxiàng　*N.* boy or girl friend
20. 幸福　xìngfú　*Sv.* happy
21. 受到　shòudào　*V.* be subjected to
22. 周围　zhōuwéi　*N.* around；surroundings
23. 反对　fǎnduì　*V.* oppose
24. 方式　fāngshì　*N.* way；fashion
25. 压抑　yāyì　*V.* hold back；constrain

26. 随着　suízhe　　　along with
27. 经济　jīngjì　　*N.* economy
28. 勇敢地　yǒnggǎnde　*Adv.* bravely
29. 追求　zhuīqiú　　*V.* seek
30. 企业家　qǐyèjiā　　*N.* entrepreneur
31. 协议　xiéyì　　*N/V.* agreement；agree on
32. 保守　bǎoshǒu　　*Su.* conservative
33. 终于　zhōngyú　　*Adv.* at long last；finally

## 3.1　一则征婚启事和应征者

1988 年 5 月的一天，上海《新民晚报》上出现了一则征婚启事："某男，34 岁，农民企业家，年薪万余元，在农村有 400 平方米楼房，在本市有带厨房和卫生间的私房 60 平方米。希望找一位家住本市，会社交，能做秘书工作，长得较好，具有高中以上文化水平，24 至 30 岁的未婚姑娘为伴侣。"

没想到，才过了三天，就收到了约 400 封信，而且有不少是大学生写来的。下面介绍其中三位姑娘的情况：

A 姑娘先来与征婚者见面。她说："我去年从电视大学毕业，是优越的经济条件吸引我来应征的，但更重要的是，我喜欢在事业上有所作为的男子汉，并愿意用我学到的知识去帮助他。"接着，她又向征婚者提了许多企业管理方面的问题，征婚者回答着，头上出现了细细的汗珠。

B 姑娘今年 26 岁，眼睛又大又圆，说话非常痛快。她说："我正在上夜大学，我的想法是，不愿平平淡淡地度过一生，喜欢冒险。我想，一个农民企业家敢到大上海来找伴侣，就是一种冒险，这就是我要追求的。"征婚者说，我虽然有房子，但那是借钱盖的。B 姑娘说，我们可以努力工作，共同还这笔钱。

C 姑娘的到来最有意思。一天中午，征婚者忽然收到一封电报，上面写着："14 日晚 7 时上海咖啡馆等。"下面没有名字，也没有地址。征婚者正在感到奇怪的时候，又收到一封信，上面写着："非常非常想见到你，到时请拿一份当天的日报，寻找一位手拿着花的姑娘。"还是没地址没姓名。到了那天，征婚者终于见到了这位神秘的姑娘。她说："我是某大学的学生，今年毕业，对公共关系十分感兴趣。您不是想找一位会社交，能做秘书工作的伴侣吗？我想我一定可以。"征婚者问："你还会些什么？"姑娘回答："会说英语、日语，会打字、跳舞，字写得也不错。对了，还会喝酒，可以了吗？""你怎么会想到打电报这个主意呢？""我想，你的条件优越，一定会有许多姑娘来应征，所以，我就想出了这个主意，来显示一下我的社交才能。其实，我也想试试自己的能力，谢谢你给了我一次实践的机会。"

现在，征婚者已经找到了自己满意的女朋友，正在热恋中。

## 生词　　NEW WORDS

1. 征婚　zhēnghūn　*VO.* to advertise for a marriage partner

80

2. 启事 qǐshì *N.* announcement

3. 应征者 yìngzhēngzhě *N.* the person who responds to the advertisement

4. 年薪 niánxīn *N.* annual pay

5. 余 yú *Sv.* more than

6. 厨房 chúfáng *N.* kitchen

7. 卫生间 wèishēngjiān *N.* washroom

8. 私房 sīfáng *N.* private house

9. 社交 shèjiāo *N.* social activites

10. 秘书 mìshū *N.* secretary

11. 具有 jùyǒu *V.* have

12. 未婚 wèihūn *V.* unmarried

13. 伴侣 bànlǚ *N.* companion

14. 电视大学 diànshì dàxué television university

15. 优越 yōuyuè *Sv.* superior

16. 吸引 xīyǐn *V.* attract

17. 事业 shìyè *N.* career

18. 有所作为 yǒusuǒ zuòwéi accomplished

19. 细细 xìxì *Sv.* very fine

20. 汗珠 hànzhū *N.* beads of sweat

21. 痛快 tòngkuai *Sv.* straightforward

22. 夜大学 yè dàxué evening university

23. 平平淡淡 píngpíng dàndàn *Sv.* plainly；unexcitedly

24. 度过 dùguò *V.* spend

25. 冒险 màoxiǎn *V.* take a risk/ *N.* adventure

26. 电报 diànbào *N.* telegram；cable

27. 咖啡馆 kāfēiguǎn *N.* café

28. 感到　gǎndào　*V.* feel
29. 神秘　shénmì　*N.* mysterious
30. 公共关系　gōnggòng guānxì　public relations
31. 感兴趣　gǎn xìngqù　*VO.* have interest in

# 常用词组　COMMON PHRASES

1. **余**

| 万余元 | wàn yú yuán | over ten thousand dollars |
| 五百余斤 | wǔbǎi yú jīn | over 500 jin (1 jin = 1/2 kilogram) catty |

2. **社交**

| 社交活动 | shèjiāo huódòng | social activities |
| 社交场所 | shèjiāo chǎngsuǒ | place for social gatherings |

3. **水平**

| 文化水平 | wénhuà shuǐpíng | educational level |
| 业务水平 | yèwù shuǐpíng | professional skill / vocational level |
| 很有水平 | hěngyǒu shuǐpíng | efficient (has high level of efficiency) |
| 水平很高 | shuǐpíng hěngāo | the standard that one sets is high |

4. **伴侣**

| 找伴侣 | zhǎo bànlǚ | look for a mate (marriage partner) |

| 终身伴侣 | zhōngshēn bànlǚ | lifelong companion (referring to one's husband or wife) |
|---|---|---|

## 5. 优越

| 优越的条件 | yōuyuè de tiáojiàn | favorable conditions |
|---|---|---|
| 条件优越 | tiáojiàn yōuyuè | the conditions/terms/factors are excellent |
| 优越感 | yōuyuè-gǎn | sense of superiority; superiority complex |

## 6. 事业

| 科学文化事业 | kēxué wénhuà shìyè | scientific and cultural undertakings |
|---|---|---|
| 教育事业 | jiàoyù shìyè | educational undertakings |
| 事业心 | shìyèxīn | devotion to one's work; business ambition |

## 7. 痛快

| 痛快人 | tòngkuài rén | a forthright person |
|---|---|---|
| 说话痛快 | shuōhuà tòngkuai | talks simply and directly |
| 做事痛快 | zuòshì tòngkuai | get things done simply, quickly |

## 8. 度过

| 度过一生 | dùguò yīshēng | pass one's life |
|---|---|---|
| 度过了假日 | dùguòle jiàrì | celebrated a festival |
| 度过难关 | dùguò nánguān | get through a difficulty/crisis |

## 9. 冒险

| 冒险行为 | màoxiǎn xíngwéi | adventurous behavior |
|---|---|---|
| 冒险家 | màoxiǎn jiā | adventurer |

## 10.追求

| | | |
|---|---|---|
| 追求自由 | zhuīqiú zìyóu | to seek freedom |
| 追求幸福 | zhuīqiú xìngfú | to seek happiness |

## 11.感到

| | | |
|---|---|---|
| 感到奇怪 | gǎndào qíguài | feel strange |
| 感到害怕 | gǎndào hàipà | feel frightened |
| 感到高兴 | gǎndào gāoxìng | feel happy |
| 感到无聊 | gǎndào wúliáo | feel bored |

## 12.实践

| | | |
|---|---|---|
| 实践的机会 | shíjiàn de jīhuì | the opportunity to carry out/live up to |
| 社会实践 | shèhuì shíjiàn | social practice |
| 参加实践 | cānjiā shíjiàn | to take part in putting··· into practice; to join in; to carry out··· |

## 语法　GRAMMAR

1. **本**　běn

　　běn＋N

Used only in written Chinese. "Ben" can be translated as "this," but it expresses the idea of "our" (belonging to this place).

Examples：

①本市

　　this city；our city

②本校

　　our (or this) school

③本地

84

local (this place)

④本国

(this country) one's mother country

2. 具有　jùyǒu：

S＋jùyǒu＋(modifier＋N)

Functioning as a verb, "jùyǒu" is used only in written Chinese. The object of "jùyǒu" must be an abstract noun with two syllables, and that abstract noun must have a modifier. Examples of abstract nouns which may be used as objects of "jùyǒu" are：意义(yìyi, meaning；significance)；精神(jīngshen, drive spirit)；信心(xìnxīn, confidence)；力量(lìliàng, strength)；特色(tèsè, distinguishing feature)；传统(chuántǒng, tradition)；思想(sīxiǎng, ideology；thinking idea)；作用(zuòyòng, function；effect)；水平(shuǐpíng, level；standard).

Examples：

①应婚者必须具有高中以上文化水平。

The person who responds to the marriage proposal must have an educational level above high school.

②1972 年中美上海公报具有伟大历史意义。

The 1972 Sino-American Shanghai Joint Communiqué has great historical significance.

3. …以上　…yǐshàng

Syntactically, either a simple noun phrase of two syllables or a number may appear before "yǐshàng".

A. N＋yǐshàng expresses a position above a certain (focal) point.

Examples：

①云层以下下大雨，云层以上是晴空。

Below the clouds it rained heavily, above the clouds was a clear boundless sky.

85

②她们都具有高中以上文化水平。

They all have an educational level above high school.

B. NU. ＋ yǐshàng expresses a number (or quantity) above a certain point. Interest is focussed on the level above the focal point.

Examples：

③六十分以上为及格。

The passing mark is above sixty.

④这件事四十岁以上的人可能还记得。

People above forty may still remember this matter.

⑤今年的产量比去年的增加了百分之三十以上。

This year's output increased thirty percent over last year's.

## 4. 接着　jiēzhe

Appearing in the second clause "jiēzhe" is a conjunction. It expresses the meaning of continuing on with another (different) action after the first action is concluded. The translation varies with the context (she went on…, she then…, and then…).

Examples：

①你说完了,我接着说几句。

I'll add a few words when you finish.

②我给他写了一封信,接着又发了一个电报。

I wrote him a letter. After that I also sent him a telegram.

③接着我们又讨论了明年的计划。

Next (or then, after that) we discussed plans for the following year.

## 5. …来/去…　…lái/qù…：

$$S + V_1 + O_1 + lai/qu + V_2 + O_2$$

In this construction," lái/qù" appears between two verb phrases to show the relationship between the means to an end or some purpose.

While the first verb phrase expresses the means or the action, the second verb phrase expresses an end or some purpose. The order of these two phrases may not be reversed. "Lái" is used to express a more intimate relationship to the speaker, "qù" a more remote relationship to the speaker.

Examples.

①学校开了个晚会来欢迎新同学。

The school gave an (evening) party to welcome new students.

②我们应该想个办法来解决这个问题。

We should think of a way to solve this problem.

③他用偷的钱去买新衣服。

He used the money that he stole to buy a new outfit.

④我要用学到的知识去帮助他。

I want to use the knowledge I've acquired to help him.

## 6. 正在…之中　　zhèngzài…zhīzhōng

Used only in written Chinese this construction expresses the idea that the subject of the sentence is involved in an action or a condition which clearly has a beginning and an end. The verb used in this construction is normally a process verb of two syllables, such as "shèjì(设计 to design), huīfu(恢复 to resume), xiūjiàn(修建 to construct), jiànshè(建设 to build), pāishè(拍摄 to film), rèliàn(热恋 be head over heels in love)", etc.

Examples:

①他们正在热恋之中。

They are passionately in love.

②这部电影正在拍摄之中。

This movie is in the process of being filmed.

③这个飞机场正在修建之中。

The airport is in the process of being built.

## 练习　　EXERCISES

**一、填空：**

条件　身高　希望　打字　秘书　热恋　企业家　住房　普通
考虑　应征　年龄　公共　收入　结婚　征婚

　　有一位农民（　　　），38岁了，还没有（　　　）。他各方面的
（　　　）都非常好，（　　　）很大，有一栋二层楼房。（　　　）很高，每年
赚一万多块钱，是（　　　）人的五倍。他在报上登了一则（　　　）启
事，启事说，他（　　　）认识一位女朋友，这位女朋友（　　　）在 1.65
以上，（　　　）在 30 岁以下，长得漂亮，大学毕业，懂英语，会
（　　　），能做（　　　）工作。征婚启事登出后，（　　　）者很多，这位农
民企业家经过（　　　），找了一位在大学里学（　　　）关系的姑娘作
朋友，现在，他们正在（　　　）之中。

**二、用指定词完成句子：**

　　1. 她非常喜欢参加_____。（社交）

　　2. 今天我和同学一起去爬山，我们_____。（痛快）

　　3. 中国桂林的山水_____。（吸引）

　　4. 上个周末我是_____。（渡过）

　　5. 这部著作_____。（具有）

　　6. 虽然我学习很努力，可是_____。（满意）

　　7. 青年人不喜欢平平淡淡地生活，_____。（有所作
　　　为）

　　8. 全班同学都考得很好，老师_____。（感到）

**三、回答问题：**

　　1. 在上海《新民晚报》上征婚的是一个什么人？

88

2. 他征婚的条件都是什么？

3. 应征的姑娘的文化水平如何？

4. A 姑娘是个什么样的人？

5. B 姑娘长得如何？她喜欢什么样的人？

6. C 姑娘有什么特别的地方？她是否是一个很有才能的人？

7. 你最喜欢哪一个姑娘？为什么？要是你都不喜欢也请说明理由。

四、**听力练习**（请听磁带）。

五、**阅读下列短文：**

## A. 北京出现"电话红娘"

北京有一个"电话红娘"，"8317722"，每天接到求偶电话100多个。

这家服务台的一位小姐介绍说：打电话的人告诉我们地址，我们就寄去"电话红娘"登记卡，填本人的情况和对伴侣的要求。这张表经过计算机，把条件合适的人找到。"电话红娘"把两张表分别寄给男、女双方，为他们安排见面。

打电话的人有三分之一是未结过婚的女子，也有不少是离了婚的中年男女。

## B. 上海电视征婚

上海出现了一件新鲜事，星期六晚上电视台增加了一个电视征婚节目。1990年的一个周末，晚上7点，5名勇敢的人第一次在电视上出现了。他们一起谈话、游戏、跳舞……介绍自己。几天之后，电视台就收到1650多封应征信。

对电视征婚，社会上看法很不一样。一些女青年认为，恋爱是个人的事，怎么能上电视呢？朋友、邻居一定会议论，说这些女人找不到对象，这多不好意思。一些男青年认为，一辈子不结婚也不能在电视里征婚，这样做不像男子汉。中国旧的传统思想对他们影响太大了！

电视征婚到底怎么样？

一位长得很漂亮的女工人，在报纸上登过几次征婚启事，可是因为她是纺织工人，工作比较累，一些小伙子连面也不愿意见。现在这位姑娘高兴地说："有电视征婚，太好了，我在电视里一出现，准行！"果然，电视征婚后，向这位漂亮姑娘求爱的信像雪片一样飞来。

一位42岁的商场经理，性格不太活泼，一直没找到对象。在朋友们的帮助下，他勇敢地走进电视台。他的条件、他的才能吸引了许多女青年，现在他已经找到了满意的伴侣，他们不久将结婚。

1. 红娘　hóngniáng　matchmaker
2. 求偶　qiúǒu　make an affter of marrige
3. 登记卡　dēngjìkǎ　register card
4. 计算机　jìsuànjī　computer
5. 分别　fēnbié　respectively
6. 勇敢　yǒnggǎn　brave
7. 议论　yìlùn　talk
8. 纺织　fǎngzhī　textile
9. 雪片　xuěpiàn　snowflake

# 3.2　黄昏之恋

"聪聪，走吧，爷爷送你上幼儿园。"

"不去，爷爷，我不去，幼儿园老师要我表演，我不要表演，我不去。"

爷爷一听可着急了,上星期六就约好了,星期一把聪聪送进幼儿园,他就到"她"那里去。谁知道今天聪聪特别不听话,说什么也不肯去。他不禁叹息起来:想当年,自己能指挥一个团,现在却连一个五岁的孙子都指挥不了。

于是他只好带着聪聪,一起到"她"那里去。"她"住在北海公园附近,虽然只有一间小小的屋子,但是屋内收拾得很干净,而且屋前还种着各种好看的花草。

他推门进去,让聪聪叫"奶奶"。

"奶奶"——聪聪甜甜地叫了一声。

她一楞,没想到他把聪聪带来了。"唉",她忙把聪聪拉过来,让他坐下,然后端出一碗鸡蛋羹来。这碗鸡蛋羹原来是为"他"做的,既然聪聪来了,就一分为二,让他和聪聪各吃半碗。

他吃了一口蛋羹,叹息一声,"唉,星期天最不好过,儿子儿媳在家,不好意思出来,可心里老是想着你。"

"等哪天你把事情向他们说明,咱们去登记一下,就好了。"她说。

小聪聪疑惑地看看爷爷,又看看"奶奶",不知道他们说的"登记"是什么意思,他只知道爷爷奶奶一"登记",他就有蛋羹吃,所以,他希望他们天天都去"登记",这样他一定能天天吃到蛋羹。

因为遇到一个好"奶奶",聪聪一定要玩到吃完晚饭才走。晚饭后,爷孙两个终于回家了。聪聪边走边唱,高兴极了。

但是他们不知道家里已经闹翻天了。

原来，幼儿园的老师看见聪聪一天没来，着了急，下班后赶到聪聪家，想看看聪聪是不是病了。这样一来，可就急坏了聪聪的妈妈。

　　"都怪你！都怪你！自己不送孩子，一定要那么早去上班，现在可好，老爷子送孙子连自己都送丢了！呜……"

　　"妈妈，爸爸，"聪聪猛然推开门，飞跑进来。妈妈一看见宝贝儿子就立刻上去搂住孩子，又高兴又着急地问："宝贝儿，上哪儿去了，快告诉妈。"

　　"到奶奶家去了"聪聪高兴地说，"奶奶可好了，给我鸡蛋羹吃，带我到公园玩儿，还说给爷爷做衣服呢。"

　　小两口子先是对看了一下，然后一起看着老爷子，心想：哪来的这位"奶奶"？怎么从来没听说过？可嘴里又不好明明白白地问。

　　"是这样的"，老爷子不自然地看了看他们说："我给聪聪找了个奶奶，我们俩很合得来。你们小两口商量商量吧，要是没意见，就把她那间房子换过来；要是有意见，我就搬到她那里去住。"

　　儿子一听就觉得别扭，可又很难反对，于是看了看妻子。

　　倒是儿媳来得快，她心想老爷子可不能走，走了谁看聪聪？来个奶奶也不错，一定比爷爷能干活，而且还带来一间房子呢，就很快地表了态："爸爸，当初我们结婚，您没反对过，现在您要办事，我们怎么能反对呢？我一百个同意！"

　　"是啊！我们完全赞成！"儿子立刻接着说。

不用说，小聪聪也主动举了手。

## 生词　　NEW WORDS

1. 恋　liàn　*N*. love
2. 幼儿园　yòu'éryuán　*N*. nursery school
3. 表演　biǎoyǎn　*V*. perform
4. 约好　yuēhǎo　*RV*. agree to meet; have made a date or make a date
5. 听话　tīnghuà　*VO*. heed what an elder says
6. 肯　kěn　*V*. be willing to
7. 不禁　bùjìn　*Adv*. can't help (doing sth.)
8. 叹息　tànxī　*V*. sigh
9. 指挥　zhǐhuī　*N/V*. command; direct
10. 团　tuán　*N*. regiment
11. 附近　fùjìn　*N*. in the vicinity of
12. 花草　huācǎo　*N*. flowers and plants
13. 推　tuī　*V*. push
14. 甜　tián　*Sv*. sweet
15. 楞　lèng　*V*. be dumbfounded
16. 拉　lā　*V*. pull
17. 鸡蛋羹　jīdàngēng　*N*. egg custard (usually salty)
18. 既然　jìrán　*Con*. such being the case
19. 一分为二　yīfēnwéi'èr　*Ph*. one divides into two
20. 各　gè　*PN*. each
21. 不好过　bù hǎoguò　*V*. difficult to get through
22. 儿媳　érxí　*N*. daughter-in-law

23. 登记　dēngjì　*V*. register

24. 遇到　yùdào　*V*. meet

25. 闹翻天　nào fāntiān　*RV*. raise a rumpus

26. 原来　yuánlái　*Con*. it turns out that

27. 下班　xiàbān　*VO*. get off work

28. 都怪你　dōu guàinǐ　It's all your fault

29. 积极　jījí　*Adv*. work with all one's energy；enthusiastically

30. 猛然　měngrán　*Adv*. suddenly

31. 搂　lǒu　*V*. hug；embrace

32. 宝贝　bǎobèi　*N*. darling；treasure

33. 不自然　bù zìrán　*Sv*. awkward

34. 合得来　hé de lái　*RV*. get along well

35. 意见　yìjiàn　*N*. opinion

36. 别扭　bièniu　*Sv*. awkward；uncomfortable

37. 干活　gànhuó　*V*. work

38. 表态　biǎotài　*VO*. make known one's position

39. 同意　tóngyì　*N/V*. agreement；approval

40. 赞成　zànchéng　*V*. endorse

41. 举手　jǔshǒu　*VO*. put up one's hand or hands

## 常用词组　COMMON PHRASES

1. **恋**

| 恋爱 | liànài | love |
| 谈恋爱 | tán liànài | be in love |
| 失恋 | shīliàn | to be jilted；to lose one's love |

2. **表演**

94

| | | |
|---|---|---|
| 表演舞蹈 | biǎoyǎn wǔdǎo | performe a dance |
| 表演节目 | biǎoyǎn jiémù | put on a show；give a performance |

### 3. 指挥

| | | |
|---|---|---|
| 指挥交通 | zhǐhuī jiāotōng | direct traffic |
| 服从指挥 | fúcóng zhǐhuī | obey commands |

### 4. 各

| | | |
|---|---|---|
| 各国 | gèguó | every nation；all nations (stressing the individuality of each nation) |
| 各位朋友 | gèwèi péngyou | friends (in a speech, expressing respects to the audience) |
| 各种各样 | gèzhǒng gèyàng | all kinds(stressing a large variety of patterns to choose from) |
| 各有优点 | gè yǒu yōudiǎn | each has his or her merits or strong points；each has its strong points or advantages |
| 各干各的 | gè gàn gède | each works on his/her own job |

### 5. 意见

| 提意见 | tí yìjiàn | put forward one's opinions(make a criticism;make comments or suggestions) |
| 交换意见 | jiāohuàn yìjiàn | to exchange ideas/ opinions |

6. 反对

| 反对战争 | fǎnduì zhànzhēng | against war |
| 反对浪费 | fǎnduì làngfèi | fight against waste |
| 反对领导 | fǎnduì lǐngdǎo | oppose(the)leader |
| 坚决反对 | jiānjué fǎnduì | firmly against/oppose; resolutely oppose |

## 语法　GRAMMAR

1. 可…了　kě…le

A. S＋kě＋SV.＋le. In this pattern kě is an adverb which must be placed before the SV; le, a sentence particle, must occur at the end of the sentence. Semantically, "kě" together with le expresses an excessive degree of a quality described by the SV in the sentence. (with reference to the subject, a person, thing or condition).

Examples:

①爷爷听了可着急了。

After listening to it, grandpa becomes extremely anxious.

②他汉语说得可好了。

He speaks Chinese really well.

96

③这个公园可漂亮了。

This park is unusually beautiful.

B. S＋kě＋VP＋le. Again, "kě" must occur before the VP and le must occur at the end of the sentence. The VP in this pattern may take the forms of V＋O or V＋V＋O. Semantically, "kě…le" shows that the condition or attitude of the subject of the sentence, which is described by the verb phrase, is being emphasized.

Examples：

①昨天我睡了一天觉,今天可有精神了。

I slept the whole day yesterday;today I am really energetic. (I really have energy.)

②老张可喜欢看电影了。

Lao Zhang really likes to see movies.

C. Sometimes kě by itself can function as emphatic marker.

Examples：

①他可不是个好人。

He is not a nice person!

②我可知道他的脾气。

Indeed, I know his temper (or temperament).

③他可给了很多钱。

He (indeed) gave a lot of money.

2. 于是　yúshì

　　　clause 1, yúshì clause 2

Functioning as a connective "yúshì" shows the relationship between two clauses. Semantically, "yúshì" indicates that the 2nd clause is the consequence,result or outcome of an earlier event which is represented by the 1st clause. Both clauses refer to actual events, not abstractions. Thus, "yúshì" would be more accurately translated as "consequently, as a result, in consequence of that or thereupon."Notice that "yúshì"differs from"suǒyǐ", "therefore", in that "suǒyǐ" implies a logical cause and effect relation, which may be an abstract one.

Examples:

①聪聪说什么也不肯去幼儿园,于是他只好带着聪聪一起到"她"那里去。

Congcong simply didn't want to go to the nursery school; as a result, he had no choice but to take Congcong with him to "her" place.

②目前,中国政府的政策是把研究生分配到基层单位,可是研究生们却希望去大的企业单位工作。……于是有些研究生在上学期间,一找到理想的工作就退学求职。

Recently, the government's policy has been to assign graduate students to grass-roots units; consequently, some graduate students, while they were still in school, dropped out to seek employment once they learned of an ideal job (opportunity).

③儿子一听就觉得别扭,可又很难反对,于是看了看妻子。

The son, upon hearing it , felt awkward, but it was difficult for him to object. That being so , he shot a glance at his wife.

## 3. 既然…就… jìrán…jiù…

A. S＋jìrán ＋VP1, jiù ＋VP2 or jìrán＋ S ＋VP1, jiù＋VP2

Syntactically, "jìrán" can appear either before or after the subject, "jiù" before the second verb phrase only. Semantically, "jìrán" introduces an already existing condition or situation (expressed by VP1). "Jiù"introduces a second clause which describes a conclusion reached by the speaker or writer (expressed by VP2).

Both "jìrán…jiù" and "yīnwéi…suǒyǐ" express a cause and effect relationship. The basic difference is that "jìrán … jiù" is a subjective opinion of the speaker or writer. "yīnwéi…suǒyǐ" states a logical relationship.

Examples：

①你既然已经来了，就别走了。

既然你已经来了，就别走了。

Since (it is the case that) you are already here, don't leave.

②他既然病了，就好好休息吧。

既然他病了，就好好休息吧。

Since (it is the case that) he is sick, why not (let him to) take a good rest.

B. S1 jìrán…, S2 jiù… or jìrán S1…, S2 jiù…

Notice that the clause introduced by "jìrán" can never come as a 2nd clause. "Jiù" can only be placed after the 2nd subject of the 2nd clause.

Examples：

⑤天气既然不好，我们就别出去玩了。

既然天气不好，我们就别出去玩了。

Since the weather is bad, we probably should not go out.

⑥既然聪聪来了，奶奶就把鸡蛋羹一分为二，让他和聪聪各吃半碗。

Since (it was the case that) Congcong was already here, grandma split the egg custard in half, (and then) let him and Congcong each eat a half.

Notice that when S2 is understood it may be dropped from the sentence, as in ⑥.

4. 先…然后…　xiān…ránhòu…

S ＋xiān ＋VP1, ránhòu ＋VP2.

Syntactically, both "xiān" and "ránhòu" are adverbs. These two

99

adverbs are used to indicate a sequence of events and the order in which they occur.

Examples:

①小两口先是对看了一下,然后一起看着老爷子。

The young couple first looked at each other, then together looked at Grandpa.

②咱们先讨论一下,然后再作决定。

We'll discuss it first and then make our decision.

③先是刮了几天大风,然后又下了几天雨。

It blew hard for a few days and then rained for (another) few days.

### 5. 从来  cónglái

"Cónglái" is an adverb of time. It always goes with a negative adverb, "bù" or "méi". In cases where the negative "méi" is used, "guò" must be included.

Semantically, "cónglái" stresses the fact that at no time or on no occasion has a specific condition arisen. The time frame starts at a point in the past and extends to the present or even to the future.

A. cónglái+méi(yǒu)+V/SV+guo

This pattern stresses that the time starts in the past and continues to the moment of speaking.

Examples:

①我从来没抽过烟。

(So far) I have never smoked.

②怎么从来没听说过?

How is it that I have never heard about it?

③他的考试成绩从来没好过。

(So far) His examination results have never been good.

B. cónglái＋bù V/SV.

A sentence using this pattern refers to a habitual condition that starts in the past and may continue to exist in the future.

Examples：

④他上课从来不迟到。

He is never late for class.

⑤小王很喜欢都助别人，请他帮忙，他从来不推辞。

Xiao Wang likes to help people. When people ask him to help, he never refuses.

⑥她每次考试成绩都很好，但从来不骄傲。

Every time she takes an examination, the marks are good; but she is never conceited.

## 6. 倒是　dàoshì

Syntactically, "dàoshì" may function as a conjunction which appears either before or after the subject of the clause. Semantically, "dàoshì" is highly versatile. Its interpretation depends on the linguistic environment；, and it is difficult to have a good English equivalent without taking the entire sentence into consideration. In this lesson, we limit "dàoshì" to only one meaning among many. It is used to soften the tone of the sentence, and often functions as a comment on a preexisting clause. It may be translated as "actually or really" (in the sense of an expression of interest, surprise, mild protest, etc. , according to context). Almost always the "dàoshì"clause is placed after the first clause.

Examples：

①儿子一听就觉得别扭，可又很难反对，于是看了看妻子。倒是儿媳来得快…

The son, upon hearing it, felt awkward, but it was difficult for him to object. That being so, he shot a glance at his wife. Sur-

101

prisingly, his wife was quick…

②有机会去南方旅游一次,倒是满不错的。

It would be nice if there was a chance to tour the south. (In Chinese, the phrase "mǎn bu cuò" must come at the end of the sentence functioning as a comment.)

③退休以后,养点儿金鱼,种点儿花儿,倒是很有意思。

It would be interesting if one could keep goldfish (as pets) and grow flowers after retirement.

## 练习　　EXERCISES

**一、根据课文内容判断句子,对的在括号里画"T",错的在括号里画"F":**

1. 聪聪家有五口人:爷爷、奶奶、爸爸、妈妈和他。(　　)

2. 聪聪喜欢幼儿园生活,每天高高兴兴地去。(　　)

3. 聪聪的爷爷每天都去看奶奶。(　　)

4. 奶奶给爷爷做了一件新衣服。(　　)

5. 爷爷和奶奶打算申请结婚。(　　)

6. 聪聪希望爷爷和奶奶天天都"登记",这样他可以天天不去幼儿园。(　　)

7. 聪聪的妈妈认为爷爷寻找到了一位合适的伴侣,她很高兴。(　　)

8. 聪聪的妈妈希望爷爷和奶奶都帮助她看聪聪,帮助她干活,所以很同意爷爷再结婚。(　　)

9. 聪聪的爸爸对爷爷要结婚不满意,可是又没有表示反对。(　　)

10. 爷爷和奶奶正在热恋中,他们很快就要结婚了。(　　)

**二、用指定词完成下面对话:**

1. A:我们应该几点到火车站?

   B:我和小王_____。(约好)

2. A:昨天的表演怎么样?

   B:有意思极了,结束的时候_____。(不禁)

3. A:你在忙什么?

   B:我要去中国旅行,_____。(收拾)

4. A:我们一起去吃日本饭好吗?

   B:_____我最喜欢吃日本饭了。(意见)

5. A:能不能再便宜一点儿?

   B:_____你明天再来吧!(商量)

6. A:我们下星期登记结婚吧?

   B:好啊,可是_____。(反对)

三、造句:

   1. 不禁    2. 登记    3. 原来

   4. 合得来   5. 不自然   6. 既然

四、用约一百字写你对老年人恋爱的意见。

五、听力练习(请听磁带)。

六、阅读下列短文:

### 女儿为妈妈找伴侣

   他,66岁。她,57岁。一个在湖南省,一个在贵州省。他们相隔千里,却成为一对好伴侣。

   男的叫王路中,以前是一名干部,现在已经退休了。三十年前他和妻子离了婚,一个人带着四个孩子生活。现在孩子们都长大了,结婚了,只剩下他一个人过日子。他白天看青天,晚上数星星,日子真不好过,他需要一个老伴。一天,他给《老人天地》杂志寄出了一则征婚启事,很快,启事登了出来。几天以后,他收到了十几封应征者的来信。应征者中有教师、医生、演员、工程师等,她们的经

济条件和住房条件都不错,其中一封贵州姑娘的来信吸引了他。信上写着:

"母亲只有我一个女儿,虽然我想了各种办法让母亲生活好,可是母女感情代替不了夫妻感情,母亲总觉得孤独,她缺少一个生活中的伴侣……我认为老人晚年应该生活得更幸福,他们也要追求爱情。请您不要笑我,女儿为妈妈找伴侣,在八十年代这已经不是新闻……"信里还有一张她妈妈的照片,望着照片,王路中的心跳了,他拿起了笔,把自己要说的话全都写了下来。

为什么女儿会为妈妈找伴侣?

原来,妈妈也是一名干部,年轻时,长得很美,结婚后,生了一儿一女,生活很幸福。没想到,儿子突然得病死了,丈夫又有了别的女人,和她离了婚。她的生活一下子全变了。虽然女儿关心她、照顾她,但是在她的生活里缺少一种感情——夫妻情,不过她从来不好意思和女儿说。

女儿最了解妈妈,为了妈妈的晚年生活,她注意报上登的各种征婚启事。当她从《老人天地》杂志上看到王路中的征婚启事后,认为他的条件很合适。她没有告诉妈妈,就给王路中写了那封信。现在,回信收到了,她把信交给了妈妈。妈妈看着信封,觉得很奇怪,但当她知道了一切后,被女儿的爱深深地感动了。

半年后,两颗孤独的心紧紧地连在了一起,两位老人开始了新的生活!

1. 湖南省　Húnán Shěng　Hunan province

2. 贵州省　Guìzhōu Shěng　Guizhōu province

3. 相隔　xiānggé　be apart

4. 剩　shèng　be left

5. 青天　qīngtiān　blue sky

6. 数　shǔ　count

7. 孤独　gūdú　lonely
8. 缺少　quēshǎo　be short of
9. 深深地　shēnshēnde　deeply
10. 感动　gǎndòng　move(emotion)

# 3.3　协议离婚

　　在上海市民政局里,有一个办公室专门负责办理协议离婚。

　　一天下午,办公室门口站着一对青年,打扮入时,让人一看就以为是一对来登记结婚的。于是,工作人员笑着跟他们说:"哎,走错了。结婚登记在隔壁,这儿是办理离婚的。""我们就是来离婚的。"两人说着,手挽着手进了门,坐在一张长凳上,等着工作人员发问。

　　工作人员问他们为什么离婚,开始他们什么也不说,工作人员告诉他们:"婚姻法规定,双方感情确实已经破裂才可以离婚,你们没有理由,我们不能同意离婚。"两人听后,马上说他们的感情已经彻底破裂,而且态度非常坚决,工作人员没有办法,只好给他们办了离婚手续。这时,男的站起来,对工作人员说:"我们感情并没有破裂,只是觉得生活在一起没意思,不幸福。离婚为什么要感情破裂呢?双方都愿意离,这还不行吗?今后如果双方觉得有意思了,还可以再来登记结婚嘛!"工作人员听了这番话,感到很不理解,就疑惑地问那位妻子有什么想法,没想到,她说:"我也是这样想的。"

　　分手前,男女双方互相看着,男的说:"请多保重。"说完,从口袋里掏出一只非常漂亮的盒子,从里面取出一根金项链,戴到了女方的脖子上。女方感动得说不出一句话。他们走出办公室时,没有再手挽手,分手前,又互相看了很久。然后,各自向后转,向着相反的方向走去,谁也没有再回头看对方一眼。

现在在一些大城市,像这样的"友好离婚"逐渐多了起来。有的夫妻离婚前,把双方的亲朋好友请来吃一顿饭,然后高高兴兴地分手;有的夫妻离婚时,由于谦让家产而相持不下;还有的夫妻是在共同做了一次"告别旅行"之后,才办理离婚手续的。

## 生词　　NEW WORDS

1. 民政局　mínzhèngjú　civil administration bureau
2. 专门　zhuānmén　*Adv.* exclusively
3. 负责　fùzé　*VO.* be responsible for
4. 打扮　dǎbàn　*V.* to make up (said of a woman, an actor or actress), to dress up; dressed like
5. 入时　rùshí　*Sv.* fashionable
6. 隔壁　gébì　*N.* next door
7. 挽手　wǎnshǒu　*VO.* to hold hands; hand in hand
8. 长凳　chángdèng　*N.* bench
9. 发问　fāwèn　*VO.* ask/raise a question
10. 确实　quèshí　*Adv.* really; indeed
11. 破裂　pòliè　*V.* broke down; broken up
12. 理由　lǐyóu　*N.* reason; grounds (for something to happen)
13. 彻底(地)　chèdǐ(de)　*Adv.* thoroughly

106

14. 坚决　jiānjué　*Sv.* firm；determined

15. 手续　shǒuxù　*N.* procedures；formalities

16. 番　fān　*M.* a course（of events）；times（occassions）；same as

17. 疑惑（地）　yíhuò（de）　*Adv.* perplexedly

18. 保重　bǎozhòng　*V.* take good care of yourself；offer good wishes
to the second party

19. 项链　xiàngliàng　*N.* necklace

20. 脖子　bózi　*N.* neck

21. 感动　gǎndòng　*Sv.* touched；moved（emotionally）

22. 转　zhuǎn　*V.* turn

23. 相反　xiāngfǎn　*V.* be opposite

24. 亲朋好友　qīnpéng hǎoyǒu　relatives and friends

25. 分手　fēnshǒu　*VO.* part company；say good-bye

26. 谦让　qiānràng　*V.* modestly decline；yield from modesty

27. 家产　jiāchǎn　*N.* family property

28. 相持不下　xiāngchíbuxià　neither side was ready to yield；be
locked in a stalemate

29. 告别　gàobié　*V.* to say farewell；to take leave；to announce one's
departure

## 常用词组　COMMON PHRASES

### 1. 负责

负责文化工作 fùzé wénhuà gōngzuò　be in charge of cultural
works

认真负责　rènzhēn fùzé　take responsibility
conscientiously

107

| 由你负责 | yóunǐ fùzé | you will be held responsible for··· |
| 对你负责 | dùinǐ fùzé | take responsibility for it (for you); ··· undertake to do it for you |

## 2. 办理

| 办理入学手续 | bànlǐ rùxué shǒuxù | go through the procedure for entering school |
| 办理护照 | bànlǐ hùzhào | handle the procedure for getting a passport |
| 由你办理 | yóunǐ bànlǐ | be handled by you |

## 3. 打扮

| 打扮入时 | dǎbàn rùshí | dresses fashionably |
| 打扮自己 | dǎbàn zìjǐ | dress oneself up nicely |

## 4. 规定

| 婚姻法规定 | hūnyīnfǎ guīdìng | the marriage law stipulates |
| 双方规定 | shuāngfāng guīdìng | both sides determine/ stipulate that··· |
| 违反规定 | wéifǎn guīdìng | infringe on regulations |

## 5. 破裂

| 感情破裂 | gǎngqíng pòliè | love(between two people)has broken up |
| 关系破裂 | guānxì pòliè | the relationship broke down |
| 谈判破裂 | tánpàn pòliè | the negotiations broke |

## 6. 彻底

| 彻底破裂 | chèdǐ pòliè | completely break down/broken off |
| 彻底改变 | chèdǐ gǎibiàn | completely change |

7. **手续**

| 入学手续 | rùxué shǒuxù | procedures for entering school |
| 报名手续 | bàomíng shǒuxù | procedures for signing up |
| 办理手续 | bànlǐ shǒuxù | handle the formalities |

8. **友好**

| 关系友好 | guānxi yǒuhǎo | the relationships are good (friendly) |
| 友好(的)关系 | yǒuhǎo (de) guānxi | friendly relationships |
| 友好团体 | yǒuhǎo tuántǐ | goodwill delegation/group |
| 友好代表团 | yǒuhǎo dàibiǎotuán | goodwill mission |

9. **谦让**

| 互相谦让 | hùxiāng qiānràng | yicld to each other (from modesty) |

## 语法　GRAMMAR

1. **手挽(着)手**　shǒuwǎn(zhe)shǒu

This phrase can be represented as "N+V(zhe)+N", and can be fitted into the following pattern：

[N+V1(zhe)+N]+V2+O

Where the two N's name the same part of the body of two different persons, the pattern expresses a condition in which an action is be-

109

ing performed involving the same part of the body of two different persons.

Examples：

①肩并肩地前进

(They/We) march on shoulder to shoulder

②背靠背地坐着

(They/We) sit back to back

③面对面地谈话

(They/We) talk facing each other.

2. 只好　zhǐhǎo

　　S＋VP1,zhǐ hǎo＋VP2

Syntactically，"zhǐhǎo"is an adverb which goes before the verb phrase in the second clause of a complex sentence. In other words, "zhǐhǎo" cannot start a sentence. It must have another clause preceding it. Semantically, the meaning of the first clause dictates that the condition of the second clause is the only choice available.

Examples：

①我等了半天他也没回来,只好留下条子走了。

I waited for him for a long time, but he didn't come back. I had no choice but to write (him) a note and leave.

②我不懂日语,只好请他翻译。

I don't understand Japanese. I have no choice but to ask him to translate.

③工作人员没有办法,只好给他们办理了离婚手续。

The people in charge have no way to deal with the matter but to go through the divorce procedures for them.

④来不及做什么好菜,只好简单一点儿了。

There's no time to prepare a good dish; it just has (or "it will

110

just have") to be a little more simple.

⑤屋子太小，大家只好挤一点儿了。

The room is too small, we just have to be a little more crowded together.

## 3. 由于…而… yóuyú…ér…

"Yóuyú…ér…"is used only in the written language. Semantically, "yóuyú"points out a reason or a cause, and "ér" a result or a condition. The entire construction indicates that from the reason or the cause, a result or a condition follows. Notice that "yóuyú" may be interchanged with "yīnwèi", but the resulting patterns do not behave in cxactly the same way. "Yin wèi"may be used in both the spoken and the written language. A clause including "yīnwèi" may be the first or the second clause of a complex sentence. A clause including "yóuyú" can only be the first clause in a complex scntence, and "ér"goes before the verb of thc 2nd clause.

Examples：

①小王由于身体原因而退学。

For reasons of health Xiao Wang withdrew from school.

②有的夫妻离婚时，由于谦让家产而相持不下。

Some couples, at the time of their divorce, are in a stalemate because of their modesty over the division of family property (out of respect for each other).

③他俩由于合不来而分手了。

As a result of not getting along well, they parted company (got divorced).

111

## 练习　EXERCISES

**一、填空：**

　礼物　要求　手挽手　打扮　接过　幸福　　办理　于是
　家产　感情　态度　　理解　友好　办公室　手续　奇怪
　疑惑　口袋　寻找　　掏　　彻底

　　我在民政局工作,负责(　　)离婚。以前来离婚的人很少,所以我的工作一点儿也不忙。可是,这几年,(　　)离婚的人越来越多,而且都是(　　)离婚,这让我感到不(　　)。

　　有一天,我的(　　)来了一对青年,他们(　　)得很漂亮,(　　)坐在一条长凳上,我问他们为什么离婚,两人(　　)都很坚决地说,他们的(　　)已经(　　)破裂,没法生活在一起,而且他们没有(　　)问题。(　　)我给他们办理了离婚(　　)。(　　)的是,离开办公室前,男青年从(　　)里(　　)出一只非常漂亮的盒子,送给女青年,说:"这是我送给你的分手(　　),祝你早日(　　)到幸福。"女青年(　　)盒子,笑了笑说:"谢谢!也祝你早日得到(　　)。"

　　看着他们,我感到(　　)极了。

**二、造句：**

　1.协议　　　2.负责　　　3.打扮
　4.确实　　　5.彻底　　　6.双方
　7.相反　　　8.相持不下　9.由于

**三、用约两百字写你对离婚的看法。**

**四、听力练习(请听磁带)。**

**五、阅读下列短文：**

## "最后的晚餐"

北京有一个小小的餐厅。

这个餐厅不在热闹的马路边,而是在一个僻静的小胡同里。餐厅的外部结构是木头的,显得很独特。

一个朋友告诉我,许多人把这餐厅叫做"离婚餐厅"。

"离婚餐厅?奇怪的名字。"我问。

"现代社会,什么新鲜事儿都有。开餐厅的是我的一位老朋友,我带你去见见她。"朋友说。

餐厅的老板是一位四十岁上下的女人。她热情地向我介绍说:"人们都把我这儿叫离婚餐厅,叫的人多了,倒不知道这餐厅的真名字了。现在离婚的人不少,大多数都是'和平离婚'。双方愿意在一起吃一顿分手饭,互相说声珍重,既回忆了过去,又开始了新的生活。我为他们提供了这样一个安静、舒服的环境。吃分手饭不能太随便,平时过日子要仔细计算,可吃分手饭却舍得花钱。更重要的是,他们需要一种特殊气氛,而我的餐厅满足了他们的需要,因此来这儿吃饭的人很多,我的生意非常好。"

听了老板的介绍,我向餐厅四周看去,餐厅不大,但十分雅致,正对大门的墙上是一幅俄国名画家的油画。餐厅两边,是两排低软的火车座。每个"房间"里都坐着一对男女,他们中间的餐桌上都放着一只蜡烛台,小小的烛火在慢慢地跳动。餐桌旁边的墙上有一个小电钮,一按电钮,墙上的玻璃里会透出淡淡的蓝光。餐厅女老板知道,太多的光明是不需要的。客人中也有的什么光线都不要,他们吹灭了烛火,在昏暗中静静地坐着。轻柔的音乐在餐厅上空飘来飘去。安静、平和、舒适是这个餐厅的特点。

我不禁想,这真是一个有意思的餐厅。

近年来,离婚的人越来越多,这是一种文化改变的结果,它也代表了一种进步,因为人们开始承认感情在婚姻中的地位,人们也

113

要求一种新的离婚文明。财产、儿女、住房等问题,都能通过谈判达成协议,不是夫妻,仍是朋友的观念,被越来越多的人所接受。离婚的人们需要那么一个地方,让他们复杂的感情得到平衡,离婚餐厅便是他们最好的选择。

1. 僻静　pìjìng　secluded
2. 独特　dútè　peculiar
3. 提供　tígòng　provide
4. 计算　jìsuàn　calculate
5. 气氛　qìfèn　atmosphere
6. 生意　shēngyì　business
7. 雅致　yǎzhì　elegant
8. 蜡烛台　làzhútái　candlestick
9. 电钮　diànniǔ　button
10. 按　àn　push
11. 轻柔　qīngróu　gentle
12. 平衡　pínghéng　balance

# 4. 家庭 妇女 儿童

在中国,几辈人住在一起的大家庭存在了几千年。在这样的大家庭中,最长辈的人是家长,最有权力。他(她)掌握全家的钱财,决定儿子、女儿、孙子、孙女的婚事,也决定孩子们的前途。他(她)要儿子当商人,儿子必须当商人,他(她)要女儿不读书,女儿必须听话。在这样的大家庭里,晚辈的女人没有地位,只能服从长辈,服从丈夫。女人的责任是为大家庭生孩子、做饭…。哪个女人生的儿子多,她就对大家庭贡献大;哪个大家庭子女多,儿孙多,哪位家长就觉得高兴、自豪。

这种传统的家庭观念和家庭结构在几十年前开始发生了变化。家长不再有那么大的权力了,他们让孩子自由恋爱,让儿女自己选择前途。女人也有了地位,她们走出家门,去参加工作。到了八十年代,这种变化更大了,无论在城市还是在农村,大家庭都几乎不存在了。年轻人不再愿意和老年人住在一起,他们要独立,要自由地建立自己的小家庭。老年人也不再去维护自己的家长地位,而是去追求自己新的晚年生活。在新的小家庭中,不再是多子女,而是一家一个"小皇帝"。"小皇帝"的妈妈们,地位也提高了,从没有权力到权力很大,有的甚至当上了"家长"。

新的家庭关系正在中国建立、发展。

## 生词　　NEW WORDS

1. 几辈人　jǐbèirén　N. several generations
2. 长辈　zhǎngbèi　N. elder member of a family
3. 家长　jiāzhǎng　N. the head of a family
4. 权力　quánlì　N. power
5. 掌握　zhǎngwò　V. master; have in hand
6. 钱财　qiáncái　N. wealth; money
7. 婚事　hūnshì　N. marriage; wedding
8. 前途　qiántú　N. future; prospect
9. 商人　shāngrén　N. businessman
10. 晚辈　wǎnbèi　N. younger member of a family
11. 服从　fúcóng　V. submit (oneself)
12. 责任　zérèn　N. duty; responsibility
13. 贡献　gòngxiàn　V/N. contribute; contribution
14. 儿孙　érsūn　N. children and grandchildren
15. 自豪　zìháo　Sv. be proud of sth
16. 结构　jiégòu　N. structure
17. 选择　xuǎnzé　V. select
18. 几乎　jīhū　Adv. almost; nearly
19. 独立　dúlì　V/N. independent; on one's own independence
20. 建立　jiànlì　V. found; set up
21. 维护　wéihù　V. preserve; safeguard
22. 晚年　wǎnnián　N. old age; one's later years; twilight years
23. 皇帝　huángdì　N. emperor

## 4.1　我和老伴儿的拳舞之争

老伴儿近来迷上了迪斯科，天一亮就住公园跑，从公园回来就对我说："你去公园看看，成百上千的人跳舞，过去打太极拳的人都改行了，只有你还打太极拳，一早晨还不如我五分钟的活动量大……"跳迪斯科，那么快的节奏我这两百来斤的身子怎么跟得上？

星期六，儿媳女儿聚在一起，欢迎老伴儿表演表演，老伴儿正在做饭，也不推辞，挥着一双沾满白面的手就舞了起来，大家不停地叫好，看完了还鼓掌。

但是，我还是觉得太极拳好，对老伴的迪斯科就是看不习惯，那音乐太吵，动作对老年人来说太轻浮。老伴儿则说迪斯科比太极拳好。我们的争论越来越大，她叫我"顽固派"，我就叫她"洋务派"。

最好笑的是我们的小孙女，才一岁多，刚学走路说话。奶奶一高兴就教她扭两下屁股；爷爷一喜欢就教她打几路拳。当她想跟奶奶去大街看汽车时，就扭两下屁股；想叫爷爷买巧克力时，就舞几下拳头。儿媳是老师，表扬孩子说："还是我们小红红聪明，中西结合。等长大了，就发明一套迪斯科式的太极拳，省得爷爷、奶奶吵架。"

### 生词　NEW WORDS

1. 老伴　lǎobàn　　*N.* (of an old married couple) husband or wife
2. 打太极拳　dǎ tàijíquán　*VO.* do taiji (shadow boxing)

3. 跳舞　tiàowǔ　*V.* dance

4. 迷上了　míshàngle　*RV.* infatuated

5. 争论　zhēnglùn　*N/V.* debate；dispute；argue

6. 改行　gǎi háng　*VO.* change one's profession

7. 早晨　zǎochén　*N.* (early)morning

8. 活动量　huódòngliàng　*N.* capacity for exercise (to benefit one's health)

9. 节奏　jiézòu　*N.* beat；musical rhythm

10. 斤　jīn　*N.* Chinese unit of weight＝1/2 kilogram

11. 身子　shēngzi　*N.* body

12. 聚　jù　*V.* assemble；get together；gather

13. 做饭　zuòfàn　*VO.* cook a meal

14. 推辞　tuīcí　*V.* decline (an appointment；invitation)

15. 挥　huī　*V.* wave

16. 沾满　zhānmǎn　*RV.* covered with

17. 鼓掌　gǔ zhǎng　*VO.* clap one's hands

18. 顽固　wángù　*Sv.* stubborn；bitterly opposed to change

19. 音乐　yīnyuè　*N.* music

20. 动作　dòngzuò　*N.* movement；action

21. 轻浮　qīngfú　*Sv.* frivolous

22. 则　zé　*Adv.* however

23. 派　pài　*N.* group；faction

24. 洋务派　yángwùpài　*N.* group that act in an ostentatiously foreign style

25. 孙女　sūnnü　*N.* granddaughter

26. 奶奶　nǎinai　*N.* grandmother

27. 扭　niǔ　*V.* (of body movement)sway from side to side

28. 屁股　pìgu　*N.* buttocks；bottom

118

29. 巧克力　qiǎokeli　*N*. chocolate

30. 爷爷　yéye　*N*. grandfather

31. 表扬　biǎoyáng　*V*. praise

32. 结合　jiéhé　*V*. integrate；combine

33. 发明　fāmíng　*V*. invent

34. 省得　shěngde　*V*. so as to avoid（doing sth）

35. 吵　chǎo　*V*. disturb；quarrel

## 专用名词　　PROPER NOUN

迪斯科　Dísike　Disco

## 常用词组　　COMMON PHRASES

1. **迷上了**

| | | |
|---|---|---|
| 迷上了一个人 | míshàngle yīgèrén | be infatuated with a person |
| 迷上了电影 | míshàngle diànyǐng | be obsessed with movies |
| 迷上了小说 | míshàngle xiǎoshuō | be obsessed vith novels |
| 迷上了音乐 | míshàngle yīnyuè | be obsessed with music |
| 迷上了跳舞 | míshàngle tiàowǔ | be obsessed with dancing |

2. **争论**

| | | |
|---|---|---|
| 一场争论 | yīchǎng zhēnglùn | a quarrel；a debate；a dispute |
| 争论问题 | zhēnglùn wèntí | argue an issue |

| | | |
|---|---|---|
| 争论起来 | zhēnglùn qǐlai | start to argue/quarrel |

3. **节奏**

| | | |
|---|---|---|
| 节奏很快 | jiézòu hěnkuài | the tempo (of the music) is fast; the pace (of one's life) is fast |
| 生活节奏 | shēnghuó jiézòu | the pace of (one's) life |

4. **推辞**

| | | |
|---|---|---|
| 坚决推辞 | jiānjué tuīcí | firmly decline |
| 推辞不掉 | tuīcí budiào | not able to decline |

5. **轻浮**

| | | |
|---|---|---|
| 动作轻浮 | dòngzuò qīngfú | behave frivolously |

6. **扭**

| | | |
|---|---|---|
| 扭屁股 | niǔ pìgu | to shake one's buttocks (here: "shake it out, shake your butt") |
| 扭头 | niǔ tóu | to turn one's head |
| 扭过身去 | niǔ guo shēn qù | to turn round |
| 扭来扭去 | niǔ lái niǔ qù | to wriggle, twist |

7. **表扬**

| | | |
|---|---|---|
| 表扬孩子 | biǎoyáng háizi | to praise a child |
| 及时表扬 | jíshí biǎoyáng | to praise in good time; to praise promptly |
| 受到表扬 | shòudào biǎoyáng | have been praised for (have received praise) |
| 被表扬 | bèi biǎoyáng | have been praised |

8. **结合**

| 中西结合 | zhōngxī jiéhé | to combine Chinese with Western…; to integrate Chinese … with the Western |
| 理论与实践相结合 | lǐlùn yǔ shíjiàn xiāng jiéhé | combine theory with practice |
| 结合实际 | jiéhé shíjì | be realistic (conform with reality) |

## 语法　GRAMMAR

1. 对…来说　duì…lái shuō

Syntactically, the entire phrase can precede or follow the subject of the Sentence. "X", in this condition, takes the form of a noun phrase. Semantically, this noun phrase identifies a certain person/ group of people. In sentences having this phrase, the opinion or attitude taken by a person or a group of people towards some matter is expressed. It is a subjective opinion stating the attitude of a people or group; it is not stating a fact.

Examples：

①迪斯科动作对老年人来说太轻浮。

To elderly people, the movements of disco are much too frivolous.

②抽烟对每个人来说都是有害的。

To everyone, smoking is harmful.

③学习中文对我们来说有很大困难。

As far as we are concerned (to us), there are great difficulties in learning Chinese.

121

④对小孩子来说,世界上的一切都很新鲜。

To children, everything in the world is a novelty.

⑤对他们来说,这是一个难得的机会。

To them, this is a rare opportunity.

## 2. 则 zé

"Zé" It is mainly a cohesive tie which shows the logical relation-ships between the two clauses of a sentence. It is therefore, highly ver-satile in meaning. Its interpretation depends on the logical relationship of the two elements linked by it. In this lesson, we introduce the logical pattern of contrast in which the second unit contrasts with or works a-gainst the first in some way.

Examples:

①我觉得太极拳好,老伴儿则说迪斯科比太极拳还好。

I felt that taiji was good; however, my old man/woman said that disco was even better.

②她上课时不爱回答老师的问题,课后则话多得不得了。

In class, she doesn't like to answer teacher's questions, but she (certainly) has a lot to say after class.

③我们都只学了两年中文,而她则学了三年。

We only studied Chinese for two years, but she studied for threes.

## 3. 当 X(的)时(候) dāngX(de)shí(hou)

Appearing only in the written language, this time phrase is usually placed at the beginning of the sentence, before the subject.
The X used in this phrase, i. e. between "dāng" and "shíhou" must ei-ther be a VP or a clause.

Semantically, this time phrase relates to the condition, in that an event will take/took place.

122

Examples：

①当她想跟奶奶去大街看汽车时，就扭两下屁股，（当她）想叫爷爷买巧克力时，就舞几下拳头。

When she wants to watch cars with her grandma on the street she shakes her behind a couple of times, but when she wants grandpa to buy her chocolates, she waves her fists several times.

②周末，当天气不好时，我们就呆在家里打桥牌。

On weekends when the weather is bad, we stay home playing bridge.

At times, we may also put "měi" before this time phrase to show emphasis.

③每当我觉得中文难，不想学时，老师就鼓励我。

Every time I felt that Chinese was difficult to learn and didn't want to learn it, my teacher would encourage me.

④当我中学毕业时，就已经一米八五了。

When I graduated from high school, I was already 1.85 metres tall.

4. 省得　shěngde

"Shěngde" is a cohesive tie which links two clauses together. Normally, it occurs at the beginning of the second clause. Semantically, it shows that one will do a certain thing (related in the first clause) in order to prevent an undesirable thing happening (related to the second clause.)

Examples：

①他自己一个人搬行李，省得麻烦别人。

He moves the luggage himself so as to avoid putting someone else to trouble.

②你最好带上地图，省得迷路。

You had better bring a map, lest you get lost.

③有事来个电话，省得你来回跑。

If something comes up just telephone me (meaning "no need to come in person"). It will save you from running back and forth.

④不要酒后开车，省得警察找你的麻烦。

Don't drive after drinking, lest the police make trouble for you.

⑤你最好提醒我一下，省得我忘了。

You had better remind me, lest I forget.

⑥小红红长大了要发明一套迪斯科式的太极拳，省得爷爷、奶奶吵。

When Xiao Honghong grows up, she will invent Disco type tàijíquán; that will keep grandma and grandpa from fighting.

## 练习　　EXERCISES

一、根据课文内容判断句子，对的在括号里画"T"，错的在括号里画"F"：

1. 太极拳是中国传统的体育运动。（　　）

2. 打太极拳活动量大、节奏快，所以对身体非常有好处。

（　　）

3. 每天早上天一亮，成千上万的人去公园打太极拳。（　　）

4. 跳迪斯科的人越来越多了。（　　）

5. 有人认为，迪斯科的音乐太吵，动作轻浮，对老年人不合适。

（　　）

6. 小红红的奶奶改行跳迪斯科了，爷爷却仍然打太极拳。

（　　）

124

7. 红红的爷爷奶奶经常为做饭的事情争吵。（　　）

8. 红红想长大以后发明一套迪斯科式的太极拳。（　　）

## 二、用指定词完成下面对话：

1. A：你还在学校当老师吗？

  B：不，老师太清苦了，现在＿＿＿＿＿＿＿＿＿＿＿。（改行）

2. A：老张在香港生活习惯不习惯？

  B：还好，只是＿＿＿＿＿＿＿＿＿＿。（节奏）

3. A：你看了昨天的老年迪斯科表演吗？

  B：看了，真不错，＿＿＿＿＿＿＿＿＿＿。（鼓掌）

4. A：他们那么吵，在干什么？

  B：他们正在＿＿＿＿＿＿＿＿＿。（争论）

5. A：你怎么这么高兴？

  B：我考试得了第一名，＿＿＿＿＿＿＿＿＿。（表扬）

6. A：明天我们有考试吧！

  B：对，快复习吧，＿＿＿＿＿＿＿＿。（省得）

## 三、请用两百字左右，谈谈你对中国老年人跳迪斯科舞的看法。你认为中国老年人的这种改变是好还是不好？为什么？

## 四、听力练习（请听磁带）。

## 五、阅读下列两篇短文：

### A. 我的家庭

　　我到3000里外的一个城市出差，收到老伴一封信，告诉我，儿子结婚了。我的第一个想法就是，怎么事先没告诉我。可是又一想，孩子自己决定自己的婚事，独立成家，这不正是我和老伴的希望吗？

　　老伴信上说，她在家，但事先也一点儿不知道。

　　儿子和这位刚结婚的儿媳——小丽是大学同学。大学毕业后，儿子上了研究生，女朋友工作了，当了医生。

我出差后的一天晚上，儿子和小丽高高兴兴回家来，对妈妈说："让您猜一件东西，贴了照片的。"妈妈猜了半天也没猜着，拿出来一看，竟是结婚证书。

儿子长大了，恋爱了，早晚要结婚。结婚议式怎么办？去大饭店？或者在家里？我和老伴早商量了，也和儿子、小丽讨论过，一不请客、二不收礼物。至于他们自己的同学、朋友要不要在一起庆祝一下，由他们自己决定。

小两口也认为没有必要举行任何结婚仪式。两个人从此生活到一起来了，这才是世界上最快乐最幸福的事！

于是，妈妈悄悄为他们准备了一些床上用品，替儿媳买了几件衣服。我们还存了一些钱，准备儿子结婚时为他们买一套新家具。

我们了解儿子，不会要求父母买这、买那，但没有想到，我们事先准备好的家具钱，他们也不肯收。

新屋里，除了一张床是新的，别的都是我们用过的旧家具——旧书桌、旧书架、旧沙发。

一对新人，生活在旧家具之中，却仍然那么幸福。

对儿子的恋爱、婚姻，我们一直是十分关心的，我们俩也常常讨论，但从不干预。孩子已经成年了，他有独立思想，我们相信他的能力。家长不应该掌握子女的命运、前途。决定他们命运的，是他们自己。


1. 出差　chūchāi　be on a business trip

2. 事先　shìxiān　in advance

3. 猜　cāi　guess

4. 贴　tiē　stick

5. 竟　jìng　unexpectedly

6. 仪式　yíshì　rite

7. 庆祝　qìngzhù　celebrate

8. 悄悄　qiāoqiāo　on the quiet
9. 家具　jiājù　furniture
10. 干预　gānyù　intervene

## B. DINK 家庭在中国

没有孩子的家庭—国外叫 DINK 家庭,六七十年代已经在欧洲、美国等西方国家流行。

八十年代,经济发达的日本也开始流行 DINK 家庭。日本的妇女走出家门,去社会上工作,她们不要只在家里生儿生女。

八十年代的中国,情况又怎么样呢?

几千年来,"多子多福"的思想深深扎根在中国人的脑子里。所以尽管人口多得要爆炸,尽管住房挤得让人喘不过气来,孩子还是要生的,越多越好。

改革开放后,一股新风吹进了中国大城市,DINK 家庭在中国出现了,而且逐渐多起来。

"这样做行吗?""他们都是些什么人?""他们是怎么想的?"社会在关心他们。

**DINK A**

丈夫　34 岁　工程师

妻子　30 岁　团委书记

他们结婚四年了,开始总觉得心理、经济上都还没有条件生孩子,现在,觉得可以要了,却又犹豫了。

养一个孩子太难了,一个孩子一个月平均要花 150 元,等于两个人工资的一半,为了孩子,父母亲只好自己少吃少用钱。这还不是主要问题,更重要的是孩子的教育。社会人口爆炸,进幼儿园难、上大学也难。社会竞争激烈,没有好的教育怎么办?还有,住房那么拥挤,空气污染,孩子生下来,不是让他们吃苦吗?

夫妻俩商量好了,不再犹豫了。

丈夫喜欢摩托车,妻子喜欢服装。俩人都爱听音乐。自从决定不要孩子后,丈夫给妻子买了几套漂亮服装;妻子也在为丈夫准备钱——买摩托车。有了它,节日可以去远处旅游。下一步呢,是买一架钢琴。

他们生活得轻松、幸福。

**DINK B**

丈夫　27 岁　百货商店经理

妻子　25 岁　商店营业员

这一对夫妻的生活总是那么丰富、有趣。社会上流行迪斯科,他们一起去学,晚上回了家也跳;大家看功夫小说,他们也一本本地买,躺在床上看到星期天中午没人起床做饭;钢琴、针灸……样样学一点儿。

别人劝他们,不能光玩,不要孩子,老了要吃苦。

B 夫妻开始想,老了吃什么苦? 一是经济上要孩子帮助,二是身体上要他们照顾,三是感情上需要安慰。我们现在就把这些都做好。

于是他们每个月到银行存钱,就是要买东西钱不够时也照样存,留在老了时用。没有孩子照顾自己,就注意保持身体健康,老了互相关心、互相照顾。至于感情上的安慰,他们是不需要别人的,因为他们俩是那么好。

1. 流行　liúxíng popular

2. 发达　fādá flourshing

3. 多子多福　duōzǐduōfú the more children one has, the more prosperous one is

4. 扎根　zhāgēn take root

5. 股　gǔ whiff

6. 团委书记　tuánwěishūji secretary of the youth league

128

7. 心理　xīnlǐ　psychology
8. 犹豫　yóuyù　hesitate
9. 污染　wūrǎn　pollute
10. 摩托车　mótuóchē　motor
11. 功夫　gōngfu　Gongfu；martial art
12. 针灸　zhēngjiǔ　acupuncture
13. 安慰　ānwèi　comfort

## 4.2　　我和丈夫

在我们家,无论大事还是小事都要由我决定。根据我和丈夫婚前达成的协议,丈夫一切收入都要归"公"。他的工资、奖金和其他的钱都必须交给我,我每个月给他二十元,用于理发、吸烟、喝酒、看电影……,反正二十元包干,超支不补。

有一次他告诉我,朋友们都笑话他得了"妻管严"。我说:"妻管严有什么不好? 这是男子的美德!"

最近,我连续在报上读到几篇谈男人存私房钱的文章,文章说经过调查知道,现在的城市男性,由于没有经济大权,百分之八九十都有私房钱,用起来不受妻子拘束。私房钱的来源有很多,例如:对妻子奖金不上交、多报支出、去挣"外块"……我越看心里越紧张:"我那自称是妻管严的丈夫,会不会也是这样?"

于是,我暗暗地留心观察,看能不能发现什么问题。以往,他换洗衣服都由我负责,脱下的脏衣服要经过我的手才放到洗衣机里,可是最近,他换洗衣服全是自己动手,很少麻烦我,我觉得有了点问题。

一天,趁他洗澡,我便去检查他的衣服,翻了上衣的每一个口袋,又去翻裤子的口袋,结果既无现金,又无存折,"啊——"我长吁了口气,虽然刚才有点紧张,可是事后心里却是甜的,甜中带点儿内疚。

几天后,丈夫下班时,高高兴兴地带回来两样礼物,我突然记起来:今天是我的生日。可是这两样礼物要二十多块,他哪来的钱? 难道他……?

丈夫看出了我疑惑的眼神,连忙解释:"我把那部旧《辞源》卖了……"

我听了以后感动得要哭了,那部旧版《辞源》是他多年来天天使用的工具书啊!

他却反而安慰我说"那部词典过时了,我买了一本新的,更合用了,还剩下点儿钱。"

听到这儿,我眼圈红了,不由得说道:"你,也存点儿私房钱吧!……"

丈夫笑一笑,把礼物送到我的手上。


## 生词　　NEW WORDS


1. 归"公"　guīgōng　*VO*. to turn over to the authorities
2. 用于　yòngyú　*Rv*. use it for
3. 理发　lǐfà　*V*. haircut/to get a haircut

4. 吸烟　xīyān　*VO*. smoke(cigarettes)

5. 包干　bāogān　*V*. cover everything(cover all costs)

6. 超支　chāozhī　*N*. overdraft

7. 补　bǔ　*V*. compensate

8. 妻管严　qī guǎn yán　(lit)wife strictly oversees(the husband) a
　　　　　　　　　　　pun on "气管炎"bronchitis

9. 美德　měidé　*N*. virtue

10. 连续　liánxù　*Adv*. (several times)in a row

11. 私房钱　sīfángqián　*N*. money set aside by a family member for
　　　　　　　　　　　　his/her private use

12. 男性　nánxìng　*N*. male

13. 大权　dàquán　*N*. power over major issues

14. 拘束　jūshù　*V*. restrain

15. 来源　láiyuán　*N*. source

16. 支出　zhīchū　*N*. expend

17. 外块　wàikuài　*N*. extra income

18. 自称　zìchēng　*V*. to call oneself

19. 暗暗地　àn'ànde　*Adv*. secretly

20. 留心　liúxīn　*V*. to pay close attention to

21. 观察　guānchá　*V*. observe

22. 以往　yǐwǎng　*Adv*. in the past;formerly

23. 换洗　huànxǐ　*V*. to wash(clothes)

24. 脱　tuō　*V*. to take off

25. 趁机会　chèn jīhuì　*VO*. to take advantage of a situation

26. 洗澡　xǐzǎo　*V*. to bathe

27. 便　biàn　*Con*. then

28. 翻口袋　fān kǒudài　*VO*. to go through pockets

29. 裤子　kùzi　*N*. pants

30. 现金　xiànjīn　*N.* cash
31. 存折　cúnzhé　*N.* deposit book
32. 吁一口气　xū yìkǒu qì　*VO.* to let out a breath
33. 内疚　nèijiū　*N.* guilty conscience
34. 礼物　lǐwù　*N.* presents
35. 眼神　yǎnshén　*N.* expression in the eyes
36. 连忙　liánmáng　*Adv.* quickly
37. 辞源　cíyuán　*N.* etymology
38. 难道…吗　nándào…ma　do you mean to say…
39. 工具书　gōngjùshū　*N.* reference book
40. 安慰　ānwèi　*V.* to comfort
41. 词典　cídiǎn　*N.* dictionary
42. 过时　guòshí　*Sv.* outdated
43. 合用　héyòng　*Sv.* suited to one's purpose

## 常用词组　　　COMMON PHRASES

1. **达成**
   达成协议　dáchéng xiéyì　　　reach an agreement
   达成交易　dáchéng jiāoyì　　　strike a bargain
2. **来源**
   经济来源　jīngjì láiyuán　　　backbone of the economy
3. **支出**
   国防支出　guófáng zhīchū　　　National defence expenditure
4. **外块**
   挣外块　zhèng wàikuài　　　to earn extra income
5. **脱**
   脱衣服　tuō yīfu　　　to take off clothes

132

脱鞋子　　　tuō xiézi　　　　　to take off shoes

# 语法　　　GRAMMAR

## 1. 无论…都…　　　wúlùn…dōu…

Notice that this patten must include either"dōu"(都)or"yě"(也).
The expression introduced by "wúlùn" must be in a question form, such
as a phrase with a question word or a choice of alternatives(but never
吗). "Wúlùn" must come in the first clause while "dōu" comes in the
secend.

Examples：

①无论你参加不参加，我都参加。

No matter whether you attend or not, I will attend.

②在美国无论什么大商业，都要做广告。

In America, no matter how large the business firm, it must ad-
vertise.

③无论谁替他说话，我们都要取消他的资格。

No matter who speaks in his favor, we must disqualify him.

④无论你将来要学中国哲学还是中国文学，都必须先提高你
的中文水平。

No matter whether you choose to study Chinese philosophy or
Chinese literature in the future, you must first raise the level of
your Chinese.

## 2. 由　　　yóu

Even＋yǒu＋actor＋action

In this pattern the subject is an event. "Yóu" introduces the actor
and the verb describes the action. In English translation, the sentence of-

133

ten is rendered in the passive voice, but a "yóu" sentence is not a passive sentence in Chinese.

Examples:

①那件事是否要做,由他决定。

Whether or not the matter needs to be done will be decided by him.

②统一招生的事由我负责。

I am responsible for the nation-wide recruitment.

③讨论将由他主持。

The discussion will be chaired by him.

④本年度结帐事宜将由他办理。

The closing of this fiscal year's account will be handled by him.

## 3. 一切…都…    yíqiè…dōu…

"Yíqiè" has three requirements:①. "yíqiè"has to be followed by dōu(都);②. the entire"yíqiè"noun phrase must be placed at the beginning of the sentence;③. the noun phrase modified by"yíqiè"must refer to a whole which can be divided into components.

Examples:

①一切我都卖给他了。

I sold everything to him.

②一切问题都必须认真考虑。

All the problems must be conscientiously considered.

③一切有营养的食物他都要吃。

He eats everything that is nutritious.

④你提出的一切建议都不能实行。

None of the suggestions you have raised can be put into practise.

4. 受　　shòu

"Shòu" has the basic sense of "receive", but the object is usually an abstract noun phrase.

Examples:

①那个孩子常受父母拘束。

That child is often restrained by his parents(lit That child often receives his parents' restraint).

②农作物的生长受气候的限制。

Farming production is often limited by the weather.

③那个副教授在昨天的会上受表扬。

That assistant professor was praised at yesterday's meeting.

④他的著作很受欢迎。

His writings are very popular(lit His writings receive much welcome).

5. 难道…吗　　nándào…mā　do you really mean to say that…

The "nándào…ma" sentence is a rhetorical question which requires no answer。"Nándào" must be placed before the entire predicate, and "ma" at the end of the sentence.

Examples:

①你总是开快车,难道不怕危险吗?

You always drive fast;do you mean to tell me that you are not afraid of danger?

②你把所有的钱都投资在那个生意上,难道不冒险吗?

Do you really mean to say that you are not afraid of risk when you invest all your money in that business?

③进口汽车难道一定比国产的好吗?

Do you really mean to say that imported cars are definitely better than domestic ones?

135

④他那么骄傲,难道比别人都好吗?

He is so arrogant; is it possible that he is better than everyone else?

6. **不由得**　　bùyóude　　can′t help…; cannot but…

①他被取消资格以后不由得哭起来了。

The moment he was disqualified he couldn′t help but break out cryin.

②他累极了,上课的时候不由得睡着了。

He is dead tired; he can′t help falling asleep in class.

③商店里的东西都很好看,我不由得花了许多钱。

Everything in the store was beautiful; I couldn′t help spending a lot of money.

④我生气极了,不由得跟他吵起架来了。

I was furious; I couldn′t help starting to fight with him.

## 练习　EXERCISES

一、根据课文内容判断句子,对的在括号里画"T",错的在括号里画"F":

1. 在这个故事里,丈夫和妻子在家里的地位是不平等的。
（　　）

2. "妻管严"的意思是说妻子得了病。（　　）

3. 报纸上谈男子存私房钱的文章很多。（　　）

4. 因为丈夫有经济大权,所以他有很多钱,可以随便用。
（　　）

5. 私房钱的主要来源是工资。（　　）

6. 妻子喜欢自己的丈夫得"妻管严"。（　　）

7. 妻子为了检查丈夫有没有私房钱,所以偷偷地翻丈夫的每

一个口袋。(　　)

8.妻子很感激丈夫没存私房钱,她对自己偷偷检查丈夫口袋的作法感到内疚。(　　)

9.丈夫很爱妻子,用每月的二十元钱为妻子买了生日礼物。(　　)

## 二、造句:

| | | | |
|---|---|---|---|
| 1.连续 | 2.来源 | 3.观察 | 4.趁机会 |
| 5.内疚 | 6.连忙 | 7.难道…吗 | 8.感动 |
| 9.安慰 | 10.不由得 | 11.达成 | 12.由 |

## 三、你认为妻子和丈夫在家里的地位应该是什么样子?你主张存私房钱吗? 请写出你的看法。

## 四、听力练习(请听磁带)。

## 五、阅读下列短文:

### 她们为什么同意换亲?

改革开放使农村有了很大变化,妇女地位也越来越高。但是,在一些穷地方,在一些山区,换亲的情况还很严重,山东省的一个村子,50%以上是换亲。

什么是换亲?换亲就是两家人都有儿子和女儿,把两家的女儿对换过来当儿媳,这样哪一家都不用花钱取媳妇了。

这种作法很落后,很不能让人理解。更不能让人理解的是换亲中的女青年有三分之一是具有初中或高中以上文化水平的。为什么? 为什么她们同意牺牲自己的感情和幸福?

当然,换亲有社会原因、经济原因、风俗原因等等。有没有女青年自己的心理原因呢?

A.为了哥哥

一个叫香菊的女青年是高中毕业生,活泼漂亮,在学校时喜欢写小说,也喜欢唱歌、跳舞,可是一年前,和一个比她大 5 岁、只上过小学 5 年级的男人结了婚,为的是给身体不好的哥哥换一个媳妇。她哭着告诉别人,她也追求爱情、幸福,但是她不能不顾哥哥,是哥哥在家劳动,她才能上学。哥哥为她把身体弄坏了,今年 28 岁了,还没结婚。她要是不同意换亲,就对不起哥哥。她决定牺牲自己,就像哥哥以前为了她牺牲了上学的机会一样。

B. 为了父母

以前,父母为了给儿子换个媳妇,不是太困难的事,因为女儿很听话。现在不同,妇女要自由。怎么办? 一位与丈夫不和,抱着孩子回娘家的青年妇女说:是父母亲的叹息和眼泪把我逼上换亲这条路的。开始父母骂我,我不低头,下决心一定不同意换亲。但是每天晚上,父亲不停地叹息,母亲不停地哭,这让我非常痛苦。他们到底是生养我的父母,我没有别的选择,只好服从。

1. 山区　shānqū　mountain area
2. 山东省　Shāndōng Shěng　Shāndōng province
3. 对换　duìhuàn　exchange
4. 风俗　fēngsú　custom
5. 顾　gù　attend to

# 4.3 贝贝进行曲

贝贝一岁

那天,小两口都领了工资。年轻的妈妈下班回来得特别晚,一到家,立刻抱起贝贝亲了好几口,便跌坐到椅子里,她精疲力尽了。

跑遍了半个城市,收获巨大,她一边喘气一边从大包里掏出许多东西来,满满地摆了半张床。

年轻的爸爸看了看,皱皱眉头:"你真舍得,花了多少钱?"

"工资去了一半!"她一边说,一边逗着孩子满床抓。

"到时候没钱买饭票,又得每天带饭吃咸菜。"

"关键是他的营养得跟上啊,我怕什么呢?"她说,"我们这辈子反正不行了……"

"这倒是,"年轻的爸爸赞同,"我们这辈子已经完了,就得在他身上花本钱了!"


贝贝三岁

"那件大衣多少钱?"年轻的妈妈问。

"三十二元。"营业员答。

"真漂亮。贝贝,"她又问儿子,"喜欢不喜欢?"

"喜欢!"儿子回答得脆响、特甜。

"买吧?"她再问丈夫。

"买吧!"他也很大方。

大衣买好了,他们又来到玩具柜。

贝贝一眼看上了那个大型的"变形金钢",一问价钱,四十八元。

"太贵了,不能买。"爸爸说。

可是贝贝立刻大哭起来,"我要,我要买嘛!"

妈妈咬咬牙,对爸爸说:

"这是智力投资,给他买吧,我的毛衣不买了。"

"可是,你……"爸爸看着妈妈,无可奈何地说"好吧,给他买，我们这辈子已经完了，就看他了。"

贝贝五岁

在动物园里，贝贝玩得可高兴了。他大开了眼界，增长了知识。

"贝贝，那是什么?"妈妈问。

"小鸟。"孩子迅速地回答。

"爸爸考考你，树上有五只鸟，打死了一只，还剩几只?"

"一只也没有了，全飞了。"

"贝贝真棒! 真聪明，长大一定有出息。"爸爸满意地说。"来，给你巧克力，这是奖品。"

贝贝得意地接过巧克力吃起来。

"给妈妈一块吧，贝贝，我也有点饿。"妈妈说。

"不，不给，这是我的，不给你们吃!"

"为什么不给，是我们给你买的!"爸爸生气地说。

"爸爸妈妈说过，你们吃什么、穿什么都没有关系，关键是要让我高兴!"贝贝理直气壮地回答。

"唉!"妈妈深深地叹了一口气，"我们为他花了那么多心血，连一块巧克力也吃不到。"

爸爸也伤心地叹了口气，突然，他举起了右手，向贝贝打去⋯⋯

## 生词　　NEW WORDS

1. 进行曲　jìnxíngqǔ　N.　march

140

2. 领工资　lǐng gōngzī　*VO.* get pay

3. 抱　bào　*V.* hug;hold…in the arms

4. 亲　qīn　*V.* kiss

5. 跌　diē　*V.* fall down

6. 精疲力尽　jīn pí lì jìn　*Ph.* exhausted

7. 跑遍　pǎobiàn　*RV.* searched all over(exhausted all possibilities)

8. 收获　shōuhuò　*N.* gains;results

9. 巨大　jùdà　*Sv.* big;huge

10. 喘气　chuǎnqì　*VO.* breathe heavily

11. 大包　dàbāo　*N.* big bag

12. 掏　tāo　*V.* pull out;draw out(from pocked,bag)

13. 摆　bǎi　*V.* put;place;arrange

14. 皱眉头　zhòu méitóu　*VO.* knit one's brows;frown

15. 真舍得　zhēn shěde　*V.* generous;not grudging

16. 逗　dòu　*V.* tease;play with

17. 抓　zhuā　*V.* grab;clutch

18. 饭票　fànpiào　*N.* food coupon;meal ticket

19. 咸菜　xiáncài　*N.* pickles;salted vegetables

20. 关键　guānjiàn　*N.* ket;key point

21. 营养　yíngyǎng　*N.* nutrition

22. 这辈子　zhè bèizi　*N.* this generation;this life-time

23. 反正　fǎnzheng　*Adv.* anyway

24. 这倒是　zhè dào shì　right;this actually is the case

25. 赞同　zàntóng　*V.* agree with

26. 花本钱　huā běngqián　*VO.* spend money(time,energy)on…

27. 营业员　yíngyèyuán　*N.* salesperson

28. 脆响　cuìxiǎng　*Adv.* crisply

29. 玩具柜　wánjùguì　*N.* toys counter

30. 智力　zhìlì　*N*. intelligence
31. 投资　tóuzī　*N*. investment
32. 无可奈何　wúkěnàihé　without any alternative;having no way
out;reluctanly
33. 动物园　dòngwùyuán　*N*. zoo
34. 开眼界　kāi yǎnjiè　*VO*. widen one' s view;broaden one' s mind
35. 知识　zhīshì　*N*. knowledge
36. 剩　shèng　*V*. be left(over)
37. 棒　bàng　*Sv*. excellent
38. 有出息　yǒu chūxī　*VO*. promising
39. 满意　mǎnyì　*Sv*. satisfaction
40. 奖品　jiǎngpǐn　*N*. award;prize
41. 得意　déyì　*Sv*. complacent
42. 理直气壮　lǐzhíqìzhuàng　*Ph*. with perfect assurance;being bold
and assured
43. 叹　tàn　*V*. sigh
44. 心血　xīnxuè　*N*. painstaking care;painstaking labor
45. 伤心　shāngxīn　*Sv*. sad;grieved

## 专用名词　PROPER NOUNS

1. 贝贝　Bèibèi　a name(bèi is "treasure" in Chinese)
2. 变型金钢　Biànxíng jīnggāng　Changing Buddha

## 常用词组　COMMON PHRASES

1. **营养**

| 有营养 | yǒu yíngyǎng | is nutritious |
| 营养不良 | yíngyǎng bùliáng | malnourished |
| 营养丰富 | yíngyǎng fēngfù | rich in nourishment |

2. **投资**

| 智力投资 | zhìlì tóuzī | to invest in the intellectual development of a child |
| 国外投资 | guówài tóuzī | foreign investment |

3. **知识**

| 知识分子 | zhīshìfènzǐ | an intellectual/intellectuals |
| 知识界 | zhīshì jiè | intellectual circles |

## 语法　　GRAMMAR

1. **反正**　　fǎnzhèng　　anyway；anyhow

A. In a sentence of two clauses of which the first contains 无论 "regardless" or 不管 "no matter what (the circumstances)", 反正 in the second clause indicates that the outcome would have been the same. [see sentences ① and ②]

B. A clause with 反正 indicates an irreversible situation, and the accompanying clause suggests an appropriate action. Either clause may come first. [see sentences ③ and ④]

Examples：

①不管你去不去,反正我得去。

　　Whether you go or not, I'm going anyway。

②无论你说什么,反正我不相信。

　　No matter what you say, I don't believe it anyway。

③我们这辈子反正不行了,就看你们的了。

　　It's all up with our generation anyway, it will have to depend

143

on you.

④反正车票已经买来了,你就和我们一起去吧!

We have already bought the tickets anyway; you had better go with us.

2. "一"+V    yī+V

This verb phrase indicates an action of a very short duration. Verbs commonly used this way are "看、听、学、想、说", After "yī" "jiù"(就) is sometimes used.

Examples:

①早上我打开窗户一看,外面下雪了。

This morning, when I opened the window I saw that it was snowing.

②我打电话一问,才知道她已经回国了。

Only when I phoned and inquired did I know that she had already come back to the country。

③我一听声音就知道是小王来了。

As soon as I heard a voice, I knew that it was Xiao Wang who had come.

④老师一说我就明白了。

I understood the moment the teacher spoke。

## 练习    EXERCISES

**一、选词填空:**

大方　眼界　精疲力尽　皇帝　外国　增长　出息
本钱　政策　迅速　工资　营养　智力　舍得　聪明

为了让人口(　　)得慢点儿,从70年代开始,中国的(　　)是一家一个孩子。不少孩子成了家庭中的小(　　)。年轻的父母

144

们（　　）并不高,可是为了让孩子的（　　）跟得上,他们自己不（　　）吃,为了给孩子买漂亮的衣服、买（　　）玩具,他们非常（　　）,自己的衣服可以不买,还认为这是（　　）投资。下班以后,已经累得（　　）了,可是孩子要去公园玩,要去开（　　）,父母们会（　　）答应,立刻带"小皇帝"出去玩。每一家都盼望自己家的孩子（　　）,有（　　）,有所作为,所以愿意在孩子身上花（　　）。

## 二、用指定词完成句子：

1. 我跑遍了北京城才买到这本词典,＿＿＿＿＿＿。（精疲力尽）

2. 小王考上了全国最有名的大学。＿＿＿＿＿＿＿＿。（得意）

3. 中国改革开放以后。＿＿＿＿＿＿＿＿＿＿＿。（投资）

4. 我上个月去欧洲旅行了,访问了不少国家,＿＿＿＿＿＿＿＿。（眼界）

5. 这个小孩从小就这么聪明,＿＿＿＿＿＿＿＿＿。（出息）

6. 要学好一门外语,＿＿＿＿＿＿＿＿＿。（关键）

7. 你看上去身体不太好,＿＿＿＿＿＿＿＿＿。（营养）

8. 无论你赞同不赞同我的意见,＿＿＿＿＿＿＿＿。（反正）

## 三、用约一百字写你对本课文的意见。

## 四、听力练习（请听磁带）。

## 五、阅读下列短文：

### 开学第一天

9月1日是上海市中小学开学的第一天,也是大学新同学到校的日子。

在一所小学,许多家长站在自己孩子所在的教室门口。虽然老师已经走进教室,要上课了,但是还有一些家长进教室。有的从孩子嘴里拿下半个面包,有的帮助孩子从书包里拿书,进进出出,乱得很。老师一次次请家长离开,但家长好像总是不放心自己的孩子,不愿意离开。后来有一些家长又来到教室旁边的操场上,等孩子放学，一些小学生从窗户看他们，不能好好上课。

中学又怎么样呢？在一所女子中学宿舍，你可以看到家长在为孩子整理床、挂窗帘、洗碗、洗衣服……一位老师介绍，以前有一位家长天天来都女儿打开水，说怕女儿烫伤。

在上海一所大学，首先引起你注意的是一辆辆送新同学的汽车。在中国，私人很少有汽车。那他们这些汽车是从哪来的呢？是出租汽车吗？不！大多数是公家的汽车！一些学生的家长是干部，他们因为工作需要有汽车，于是就利用这个条件送自己的孩子。上海市的，别的城市的，哪儿的车都有。走进新同学宿舍，你会奇怪，学生坐在椅子上，家长们在双层床上爬上爬下，忙着整理床、挂蚊帐……问一位东北来的家长，为什么这么远还要送孩子来上学？他说孩子生活能力不强，自己不能照顾自己。

看看这些，真叫人担心，这些孩子离开了父母，走上社会怎么生活？

1. 整理　zhěnglǐ　put in order
2. 窗帘　chuāng lián　window curtain
3. 打开水　dǎ kāi shuǐ　fetch boiled water
4. 烫伤　tàng shāng　scald
5. 双层床　shuāng chéng chuáng　double-decker bed
6. 蚊帐　wéi zhàng　mosquito net
7. 担心　dān xīn　worry

146

# 5. 工资 奖金 职业的选择

"万般皆下品,唯有读书高",是长期以来深深地扎根在中国人头脑里的观念。因此,虽然读书人一直被称为"穷书生"、"穷知识分子",可是他们仍然很受人尊敬,很令人羡慕。人们追求的是如何在事业上有成就。至于钱,很少有人去谈论,更不去想如何多挣钱,甚至认为谈钱是不好的事情,是可耻的。

近年来,中国人的这种想法有了变化。八十年代中国的经济与 1949 年比,有了很大的不同。现在不但有了私人企业,而且有了中外合资企业。这些企业可以自己招收工人,在这些企业工作的人工资很高,是一般工人(在政府工厂里工作)的三倍、四倍。另一方面,个人经商的也越来越多,卖衣服的、卖书的、修自行车的、开饭馆的……,他们的收入也很高。这一切冲击着中国人,冲击着传统的观念。从本单元的三篇报道中,你可以知道中国人现在在想什么,在谈什么,在追求什么。

## 生词　　NEW WORDS

1. 万般皆下品　wànbānjiēxiàbǐn　Everything else is inferior,
   唯有读书高　wéiyǒudúshūgāo　only studying is high
2. 扎根在　zhāgēnzài　V. take root in

3. 头脑　tóunǎo　*N.* head

4. 读书人　dúshūrén　*N.* literate person；educated person

5. 穷书生　qióngshūshēng　*N.* indigent student（archaic term）

6. 尊敬　zūnjìng　*V.* respect；honor

7. 令　lìng　*V.* make；cause

8. 羡慕　xiànmù　*V.* envy

9. 如何　rúhé　*Adv.* how

10. 成就　chéngjiù　*N.* achievement

11. 可耻　kěchǐ　*Sv.* shameful

12. 私人企业　sīrén qǐyè　*N.* private enterprise

13. 招收工人　zhāoshōu gōngrén　*VO.* recruit workers

14. 经商　jīng shāng　*VO.* engags in trade

15. 冲击　chōngjī　*V.* to strike forcefully，*N.* impact

# 5.1 第二职业

　　中国人关于"业余时间"（八小时以外）的观念正在逐步改变。

　　过去，人们在下班以后大都是打扑克、下棋、看电视或跳舞。现在，这只能是"业余的业余"了。

　　商品经济给市场带来了繁荣，同时，也使一向安分守己的中国人开阔了眼界，他们开始琢磨起怎么赚钱来了。

　　"没有钱不行，上有老下有小，都张着嘴、伸着手，儿子娶媳妇要一万，女儿结婚要五千，老伴买菜天天喊涨价，光靠工资是不行了。"一位平日最循规蹈矩的中年人说。

　　"人们的衣食住行都离不开钱，现在一辆中外合资生

148

产的自行车,存车费竟然是国产车的 5 倍,这可怕的经济现实让谁不恐惧?"一位存自行车的小伙子说。

富裕的农民也给城里人带来巨大的冲击。在一家大商场的电子琴柜台前,看的人多,买的人少。一台日本电子琴要一千四百元,这是一个一般城里人一年的工资。但是,一个农村打扮的人挤了进来,一下子买走两台。

这一切,使得一向以有铁饭碗为骄傲的城里人坐不住了,他们开始利用业余时间寻找第二职业。

广州:大约有百分之二十五的人从事第二职业,那些没有第二职业的人被看做懒人,看做没有能力的人。

辽宁:全省每天大约有十万多人有业余收入。

天津:利用业余时间在自由市场做小生意的,全市每天有几千人。

还有那些无法统计的技术工人们,他们到附近的农村去,帮助农民企业家。

学校的老师们到工厂的职工大学、到社会的业余大学去兼职讲课。

……

工资已经不能满足人们的需要,越来越多的人开始从事第二职业了。

## 生词　　NEW WORDS

1. 业余　yèyú　*N.* after work
2. 打扑克　dǎ pūkè　*VO.* play poker;playcards
3. 下棋　xiàqí　*VO.* play chess

4. 繁荣　fánróng　*Sv.* be prosperous

5. 安分守己　ānfènshǒujǐ　*Ph.* well behaved;law abiding

6. 开阔　kāikuò　*V.* open wide;broaden

7. 眼界　yǎnjiè　*N.* vision;outlook

8. 琢磨　zhuómó　*V.* ponder

9. 伸　shēn　*V.* stretch(out)

10. 娶媳妇　qǔ xífù　*VO.* to take a wife(a son takes in a wife to be
    daughter-in-law)

11. 循规蹈矩　xúnguīdǎojǔ　*Ph.* to be proper(to follow conventions)

12. 衣食住行　yī shí zhù xíng　daily necessities(food,clothing,shelter
    and transportation)

13. 存车费　cúnchē fèi　*NP.* parking fee

14. 国产　guóchǎn　*N.* domestic product

15. 现实　xiànshí　*Sv.* actual condition

16. 小伙子　xiǎohuǒzī　*N.* a young guy

17. 富裕　fùyù　*Sv.* rich;well-to-do

18. 电子琴　diànzǐqín　*N.* electronic keyboard

19. 柜台　guìtái　*N.* counter

20. 寻找　xúnzhǎo　*V.* seek

21. 省　shěng　*N.* province

22. 自由市场　zìyóu shìchǎng　*NP.* free market

23. 小生意　xiǎo shēngyì　*NP.* small business

24. 职工　zhígōng　*N.* office workers and laborers

25. 从事　cóngshì　*V.* undertake;be engaged in

## 常用词组　COMMON PHRASES

**1. 业余**

| 业余时间 | yèyú shíjiān | sparetime |
| 业余收入 | yèyú shōurù | after-hours income |
| 业余教育 | yèyú jiàoyù | after-hours education |
| 业余爱好 | yèyú àihào | hobby |

**2. 繁荣**

| 市场繁荣 | shìchǎng fánróng | market being brisk |
| 经济繁荣 | jīngjì fánróng | economy being prosperous |
| 繁荣经济 | fánróng jīngjì | promote economic prosperity |

**3. 国产**

| 国产汽车 | guóchǎn qìchē | domestic automobiles |
| 国产冰箱 | guóchǎn bīngxiāng | domestic regrigerator |
| 国产彩电 | guóchǎn cǎidiàn | domestic color TV |

## 语法　GRAMMAR

1. **关于** guānyú concerning;about;as to

A. "guānyú", a topic marker, must take a noun as its object. The entire phrase, guānyú + N, can only appear at the beginning of the sentence.

Examples：

①关于经济问题,我不太了解。

As to economic issues, I don't understand much.

②关于目前的国际局势,外交部正在研究如何解决。

As to the present international situation, the Foreign Ministry is in the midst of studying how to handle it.

B. (Guānyú+N)+的 as a noun modifier, in coutrast to A, need not come at the beginning of a sentence.

Examples:

③我正在读一本关于中国古代历史的书。

Right now I am reading a book about pre-modern Chinese history.

④中国人关于"业余时间"的观念正在逐步改变。

The Chinese concept of "after hours"(activities) is now gradually changing.

⑤他写的小说,一些是关于城市生活的,其他的是关于农村生活的。

Some of the novels he has written are about city life, and others are about farming life.

2. 一下子 "yíxiàzi" quickly, immediately, suddenly

"Yíxiàzi" is an adverb preceding a verb or another adverb. It implies that the event took a very short time. The translation into English must vary according to the context.

Examples:

①听他一说,我一下子就明白了。

As soon as he spoke, I immediately understood.

②天一下子阴了下来。

The sky suddenly darkened.

③这些生词太多了,我们不能一下子就把它们都记住。

There are too many new words. We cannot memorize them in

a short period of time.

## 练习　　EXERCISES

一、根据课文内容判断句子,对的在括号里画"T",错的在括号里
画"F":

1.长期以来,中国人一直有第二职业。(　　　)

2.有第二职业的人半天干这个工作,半天干那个工作。(　　　)

3.商品经济给中国人开阔了眼界,下班以后,人们去跳舞、下
棋或看电影。(　　　)

4.正在,不少中国人正在利用业余时间去赚钱。(　　　)

5.一般的城里人,一年的工资可以买一台进口的电子琴。
(　　　)

6.农民的收入是城里人收入的五倍。(　　　)

7.一向安分守己、循规蹈矩的中国人也开始寻找第二职业了。
(　　　)

8.有铁饭碗的人很骄傲,他们认为自己靠工资可以生活得很
好。(　　　)

9.从事第二职业的人主要是做小生意、去农村帮助农民企业
家和到学校兼职上课。(　　　)

二、用指定词完成下面对话:

1.A:你买的电视是国产的吗?

B:不,_____。(合资)

2.A:这个字怎么读?

B:我刚学过,可是_____。(一下子)

3.A:你们学校有多少学生?

B:我也不太清楚,_____。(大约)

4.A:听说你很喜欢下棋?

B：对，_____。（业余）

5. A：近年来，中国人民的生活怎么样？

B：他们的生活水平_____。（逐步）

6. A：这道数学题你会做吗？

B：我也不知道，_____。（琢磨）

三、用约一百五十字写"第二职业"在你们国家的情况。

四、听力练习（请听磁带）。

五、阅读下列两篇短文：

## A. 家庭教师走进千家万户

在中国的一些大城市，家庭教师这一行开始发展起来，而且越来越多。在上海，1989年去大学找家庭教师的大约有1500多人，1990年1—8月，已经有2000多名家长来登记。

陈先生是一位钢琴师，在一家歌舞团工作。一些家长找到他，愿意每月付80元，请他每星期教孩子学两次钢琴。后来，收的学生多了，陈老师辞去了歌舞团的工作，只当家庭教师。他准备了两架钢琴，天天教来学习的孩子，收入比以前多得多。

另一位陈先生，以前是一家报社的记者，他的书法很好，也经常有家长来请他教孩子们书法。于是他利用业余时间教孩子，也收一些钱。几年后，他存了一大笔钱，到日本留学去了。

更多的家庭教师是大学生，他们利用业余时间去教孩子，一个月能挣100元左右。对于一个穷大学生来说，这真是一件美差事。许多大学生也把当家庭教师看作了解社会的好机会。他们有的到学校办公室登记——找工作；也有的自己去社会上找机会。家长们很欢迎他们，因为大学生年轻、活泼、有知识，并且家长们可以少付他们一些钱。

在成都、广州，家庭教师发展得更快，民办自费学校已经出现了，有服装学校、音乐学校、画画儿学校……还有残疾孩子学校。

154

1. 歌舞团　gēwǔtuán　song and dance ensemble
2. 辞掉　cídiào　resign
3. 残疾　cánjī　deformity

## B. 挣　钱

"不管他是谁，不管他将来打算干什么，现在谁都得努力挣钱。不挣钱就没法生活，不挣钱将来什么也干不成。"这是一位先进个体户说的话。

事实怎么样呢？

北京街头有一个什么都干的人。他晚上在夜市卖服装，白天在自由市场卖水果，最近他又在北京附近办了一个养鸡场。

这个人是一位大学中文系的毕业生。有一天，他遇见了一位大学同学。

"喂，老孙，发财了吧？"那位同学问。

"肯定比你挣得多。"他笑着回答。

"现在是个体户越来越富，读书人越来越穷。"

"怎么能不穷？整天坐着聊天、喝茶、看报……我们可不行，有几个小时也要上街去卖十几斤香蕉。咱们班同学谁能这么做？一个也没有！他们怕丢脸！有空儿就坐在一起聊天，你说说，是应该我穷还是应该他们穷？"

"你整天卖东西不烦吗？"

"怎么会烦呢？挣钱还有烦的？每天早上起床就盼晚上五点半。五点半一到，你看吧，一个个推着自己的货车，飞快地到夜市去，雨天不能去夜市，在家里呆着才烦呢！"

1. 先进　xiān jìn　advanced
2. 个体户　gè tǐ hù　self-employed person

3. 养鸡场　yǎngjīchǎng　chicken run
4. 发财　fācái　get rich
5. 肯定　kěndìng　definitely
6. 丢脸　diūliǎn　lose face
7. 烦　fán　be annoyed
8. 呆　dāi　stay

## 5.2　两份万元奖金

　　88 年 8 月 15 日《光明日报》：福建省教育委员会的科研人员林木旺，在做好本职工作的同时，兼任厦门某建筑公司的顾问，为国家节省资金约百万元。为此，这个公司决定发给他一万元奖金。但是，林木旺不敢收。后来，公司领导又把这笔奖金送到他家去，这次他虽然收下了，但并没有把钱留给自己，而是上缴给了教育委员会。这件事被省里的领导知道了，他们表示科技人员业余工作的报酬，应该理直气壮地拿。这样，林木旺才最后收下了这笔奖金。同时，他又表示除了按照规定交税以外，还要捐献3000 元作为省教育委员会的奖励基金。

　　88 年 8 月 16 日《光明日报》：河北省某塑料厂厂长张兴让发明了一种新的工作方法，政府为了奖励他，发给他一万元奖金。这时，许多热心的人向他提出各种各样的建议，有的让他把钱退还政府，有的让他把钱捐给社会，还有的让他把钱分给全厂的工人。张兴让认真考虑之后，决定把奖金全部留给自己。他说："这一万元奖金是我劳动的报酬，按照按劳分配的原则，我拿得理直气壮。如果我把奖金平均分给大家，就是助长吃大锅饭的错误作法，这违背按劳分配的原则。"

## 生词　NEW WOODS

1. 委员会　wěiyuánhuì　*N.*　committee
2. 兼任　jiānrèn　*V.* to hold（a concurrent post）
3. 建筑　jiànzhù　*N.* construction
4. 公司　gōngsī　*N.* company；corporation
5. 顾问　gùwèn　*N.* adviser；consultant
6. 资金　zījīn　*N.* fund
7. 发　fā　*V.* issue/give（pay；bonus；passport，etc.）
8. 领导　lǐngdǎo　*N.* leader
9. 上缴　shàngjiǎo　*V.* turn over sth to the higher authorities
10. 报酬　bàochóu　*N.* compensatlon；remuneration
11. 交税　jiāoshuì　*VO.* pay tax
12. 捐献　juānxiàn　*V.* contribute（to an organization）；donate
13. 基金　jījīn　*N.* reserve fund
14. 塑料厂　sùliàochǎng　*N.* factory making plastics
15. 厂长　chǎngzhǎng　*N.* factory director
16. 热心　rèxīn　*Sv.* enthusiastic；warmhearted
17. 提出　tíchū　*V.* put forward（a proposal）；make（a suggestion）
18. 建议　jiànyì　*N.* propopsal；suggestion
19. 认真　rènzhēn　*Sv.* conscientiously；(take)seriously
20. 劳动　láodòng　*N.* work；labour
21. 按劳分配　ànláofēnpèi　distribution according to work
22. 原则　yuánzé　*N.* principle

23. 分给　fēn gěi　*RV*. distribute to；allot to
24. 吃大锅饭　chī dàguōfàn　*VO*. eat from the big pot（equalitarian-
ism）
25. 违背　wéibèi　*V*. violate

## 常用词组　COMMON PHRASES

1. 奖金
年终奖金　niánzhōng jiǎngjīn　year-end bonus
发奖金　fā jiǎngjīn　to give out a eash
award/bonus
奖金很高　jiǎnjīn hěn gāo　the award/bonus is
high
2. **顾问**
顾问团　gùwèntuán　advisory board/team
顾问委员会　gùwèn wěiyuánhuì　advisory/consultative
3. **发**
发工资　fā gōngzī　pay out wages
发信　fā xìn　to mail a letter
发脾气　fā píqì　to lose one's temper
5. **奖励**
奖励学生　jiǎnglì xuéshēng　praise a student；
encourage a student by
rewards
奖励办法　jiǎnglì bànfǎ　the way to encourage
给予奖励　gěyú jiǎnglì　to give encourgement
and reward to

## 6. 提出

| | | |
|---|---|---|
| 提出建议 | tíchū jiànyì | to put forward a proposal |
| 提出申请 | tíchū shēnqǐng | to hand in/submit an application |

## 7. 平均

| | | |
|---|---|---|
| 平均收入 | píngjūn shōurù | average income |
| 平均主义 | píngjūn zhǔyì | egalitarianism |
| 平均数 | píngjūn shù | average; mean |

## 8. 违背

| | | |
|---|---|---|
| 违背原则 | wéibèi yuánzé | violate a principle |
| 违背道德 | wéibèi dàodé | go against morals/ethics |

## 9. 原则

| | | |
|---|---|---|
| 按原则办事 | àn yuánzé bàn shì | to run business according to rules |
| 坚持原则 | jiānchí yuánzé | adhere/stick to principle |
| 原则性 | yuánzé xìng | principle (inherent in the nature of principles) |

## 语　法　GRAMMAR

**1. 在…的同时**　zài…de tóng shí

S(zài…X…de tóngshí)＋predicate

159

"Zài…x…de tóngshí" is a time phrase which must follow the subject of a sentence. Semantically, X implies an event. This pattern gives the message that a second event, described in the predicate, takes place (or took place) at the same time as X, the first event. Notice that the duration of the two events should be equal or nearly equal and that the pattern is used only in the written language.

Examples:

①林木旺在做好本职工作的同时,兼任厦门某建筑公司的顾问。

Lin Mu-wang, while taking care to do a good job in his own work, holds a second job as a consultant for a certain construction company in Xiamen.

②这个学校在向学生传授知识的同时,也非常重视学生们的品德教育。

This school, at the same time that it imparts knowledge to its students, (also) pays great attention to their "moral education."

③我在吃饭的同时,还看电视。

Notice that sentence③in Chinese is incorrect because a) the duration of eating a meal is shorter than watching television, b) the sentence is in colloquial Chinese. In spoken Chinese, use "yī biān…yībiān…" (stressing that two actions happen simultaneously).

Example:

我一边吃饭,一边看电视。

2. 除了…以外(之外)　　chúle…yǐwài(zhīwài)

The phrase "chúle…yǐwài(zhīwài)" may precede or follow the subject of a sentence。 ("zhīwài" is used only in writing.)

A. Inclusive Form: chúle…yǐwài/zhīwài…hái/yě: "besides; in addition to."

Examples：

①他除了按照规定交税以外，还要捐献3000元作为省教育委员会的奖励基金。

Besides paying taxes according to regulations, he also donated 3,000 yuan as prize to be awarded by the Provincial Educational Committee。

②我们除了学习中国语言以外，也学习中国文化。

In addition to studying the Chinese language, we also study Chinese culture.

③除了学习中国语言以外，我们也学习中国文化。

③is identical with②in meaning, but the position of "chúle…yǐwai"has shifted. In ② it follows the subject, in ③it precedes the subject.

④除了北京、上海之外，我们还游览了杭州和苏州。

Besides Beijing and Shanghai, we also went sightseeing in Hangzhou and Suzhou.

B. Exclusive Form：chúle…yǐwài, S dōu/quán…: "with the exception of"

Examoles：

⑤除了她以外，别人都不会唱这首歌。

No one else knows how to sing this song except her.

⑥除了雨天之外，他一般都骑自行车上班。

With the exception of rainy days, he generally goes to work by bike.

3. 有的…有的…还有的… yǒude…yǒude…háiyǒude…

For clarity, this pattern may be rewritten as："Whole entity, yǒude X…, yǒude Y…, háiyǒude Z…。" This pattern, expresses the "whole and parts"relationship. When interpreting such a relationship in language, Chinese invariably first brings up the whole and then follows by

161

explaining the parts. Thus, X. Y and Z in this pattern are the parts of the whole.

Examples:

①我们有的学文学,有的学历史,还有的学国际关系。

Some of us study literature, some study history, still others study international relationships.

②许多热心人向他提出各种各样的建议,有的让他把钱退还政府,有的让他把钱捐给社会,还有的让他把钱分给全厂工人。

Many enthusiastic people make various suggestions to him. Some of them ask him to return the money to the government, some to donate the money to the community, still others to allot the money to the workers of the entire factory.

## 练习　EXERCISES

一、填空:

利用　　上缴　　只有　　兼职　　担任　　挣

顾问　　作为　　捐献　　服装　　收入　　存

有一位科技人员,在一家(　　)公司(　　)技术工作。去年,他(　　)业余时间去附近的一家私人企业(　　),当他们的技术(　　),这家企业每月给他三百元钱(　　)报酬。

这个技术人员,每月工资(　　)一百五十元,现在业余(　　)是工资的二倍,这个钱该不该拿? 有的说,这是业余时间(　　)来的钱,该拿;有的说,三百元太多了,应该(　　)一半;还有的认为,最好是把钱(　　)起来,以后(　　)给社会。

如果你是这位技术员,你怎么办?

二、造句:

162

1. 兼任　　　　2. 节省　　　　3. 报酬

4. 交税　　　　5. 热心　　　　6. 违背

7. 上缴　　　　8. 分给　　　　9. 留给

10. 在…的同时　11. 按照　　　12. 有的…有
　　　　　　　　　　　　　　　的…还有的…

## 三、问答问题：

1、林木旺做了几份工作？工作地点在哪儿？

2、他工作的性质都是什么？

3、他为什么可以拿到奖金？奖金是多少钱？

4、他为什么最初不拿这份奖金，但后来又拿了？

5、他拿了这份奖金以后如何处理？

6、张兴让做了几份工作？工作地点在哪儿？工作性质是什么？

7、政府为什么要给他奖金？奖金是多少？

8、张兴让如何处理那份奖金？理由是什么？

9、林木旺和张兴让都拿到奖金，但态度不同，你认为谁的态度对？为什么？

## 四、听力练习（请听磁带）。

## 五、阅读下列短文：

### 一个新的阶层——个体户

过去，在城市里问一个人在哪儿工作，一定会得到一个肯定的答复。八十年代，情况发生了变化，个体户出现了，私人企业也出现了，他们有的自己经商，有的几个人合起来开饭店、旅店、卖鱼、卖菜、教学生……

这是 1949 年以后中国的一次大变化，结果是产生了一个新的社会阶层。

这个阶层有脑力劳动者——家庭教师、服装设计师、演员……

163

也有体力劳动者——修鞋的、卖菜的、理发的……他们自己挣自己吃，自己给自己发工资。他们是现在中国社会最活跃最复杂的一些人，也是中国最富有的阶层。对于这个阶层，人们的看法很不一样，有人说好，有人说坏，有人羡慕，有人讨厌……个体户们却不管这些，大步地向前走，去追求自己的目标。

1. 阶层　jiēcéng　stratum
2. 脑力劳动者　nǎolì láodòngzhě　mental worker
3. 体力劳动者　tǐlì láodòngzhě　physical worker

# 5.3　团委书记辞职当个体户

元旦刚过，上海大学就传出一条新闻：刚刚当选为共青团十二大代表的学校团委书记孙爱国向学校领导提出辞职请求，准备去当个体户。

孙爱国一直很顺利，大学毕业后留在学校，担任团的领导工作已有三年多了。同时，他还努力钻研业务，发表过不少论文。大家都认为他是个很有前途的青年，领导也非常器重他。现在他居然要辞职，许多人都无法理解。

有人问他："你不觉得这样做太冒险了吗？"他回答说："这不是冒险，而是观念的改变。在改革开放时期，人们的价值观念、职业观念都应该有一个相应的变化。是当团委书记，还是当个体户，要根据个人的能力来决定，不能说个体户的地位就一定比团委书记低。我虽然很热爱我们的学校，但是总觉得在这里工作，不能充分发挥我的能力。所以，我想辞职去当个体户，积累一笔资金，将来办

164

更大一些的事业,这样,对我和社会都有好处。"

　　孙爱国的想法和决定很快就得到了大家的理解和支持,学校领导虽然很想让他留下,但最后还是同意了他的请求。

## 生词　　NEW WORDS

1. 团委书记　tuánwěishūjì　*N.* secretary of the Youth League
2. 辞职　cízhí　*V.* resign
3. 新闻　xīnwén　*N.* news
4. 当选　dāngxuǎn　*V.* be elected
5. 代表　dàibiǎo　*N.* representative
6. 请求　qǐngqiú　*N/V.* request
7. 顺利　shùnlì　*Sv.* successful；without a hitch
8. 担任　dānrèn　*V.* hold the post of；assume the office of
9. 钻研　zuānyán　*V.* dig into；study in tensively；delve into
10. 业务　yèwù　*N.* professional work；business
11. 发表　fābiǎo　*V.* publish；issue
12. 论文　lùnwén　*N.* paper
13. 信任　xìnrèn　*V.* believe in；trust
14. 理解　lǐjiě　*V.* understand；comprehend
15. 改革　gǎigé　*N.* reform
16. 开放　kāifàng　*N.* open-door（policy）
17. 相应　xiāngyìng　*Sv.* corresponding
18. 地位　dìwèi　*N.* position；status
19. 热爱　rèài　*V.* love
20. 充分　chōngfèn　*Adv.* fully

21. 发挥　fāhuī　*V*. give play to；bring into play；enhance
22. 积累　jīlěi　*V*. accumulate
23. 支持　zhīchí　*N/V*. support

## 常用词组　COMMON PHRASES

**1. 辞职**

| 辞职报告 | cízhí bàogào | a resignation application (Chinese term) |
| 辞职书 | cízhí shū | a letter of resignation |

**2. 新闻**

| 新闻记者 | xīnwén jìzhě | reporter |
| 新闻人物 | xīnwén rénwù | media personality person who receives much attention from the media） |
| 新闻广播 | xīnwén guǎngbō | newscast |
| 新闻公报 | xīnwén gōngbào | press release |

**3. 代表**

| 双方代表 | shuāngfāng dàibiǎo | representatives from bothsides |
| 代表团 | dàibiǎo tuán | delegation |
| 代表资格 | dàibiǎo zīgé | qualification of a representative |

**4. 担任**

| 担任会议主席 | dānrèn huìyì zhǔxí | hold the post of the chairman of the conference |
| 担任领导 | dānrèn lǐngdǎo | take the post of leader |
| 担任指挥 | dānrèn zhǐhuī | take the post of conductor |

166

5. **发表**

| 发表论文 | fābiǎo lùnwén | publish one's paper |
|---|---|---|
| 发表声明 | fābiǎo shēngmíng | make an announcement |
| 发表演讲 | fābiǎo yǎnjiǎng | deliver a speech |
| 发表意见 | fābiǎo yìjiàn | state one's views |

6. **前途**

| 有前途 | yǒu qiántú | have a bright future |
|---|---|---|
| 没有前途 | méyǒu qiántú | (have)no future |
| 前途远大 | qiántú yuǎndà | have boundless prospects |

# 语法　　GRAMMAR

1. **当选为**　dāng xuǎn wéi　　to be elected as…

"Dāngxuǎn" and "wéi" are both verbs. While "dāngxuǎn" indicates that the subject is being elected, "wéi" tells the position that will be filled.

Examples：

①小王当选为班长。

Xiao Wang is elected to be the class leader.

②他当选为大会主席。

He was elected as the chairman of the conference.

③孙爱国刚刚当选为共青团十二大代表。

Sun Ai-guo has just been elected as the representative of this organization.

2. **不是…而是…**　　búshì…érshì…　　it is not …but…

"Búshì…érshì…" is used to signal 2 facts or conditions in opposition. "búshì" and "érshì" are always placed before the predicates of the two clauses.

Examples：

①他们不是来登记结婚，而是来办理离婚手续。

They are not here to register for marriage, but to process a divorce procedure.

②他不是一个大学生，而是一个农民企业家。

He is/was not a university student, but a farmer entrepreneur.

③这样做不是帮助他，而是害了他。

To act this way is not to help him, but to harm him.

## 3. 相应　　xiāng yìng

"Xiāngyìng" is an intransitive verb which may also be used as an adverb. Note that "xiāngyìng" often indicates an interaction between two things. Whenever it appears, it is well to look for such an interaction.

Examples：

①情况改变了，人们的思想也要相应地改变。

The situation has changed; people's thinking must change correspondingly.

②天气冷了，孩子们的衣服也应该相应地增加。

It is getting cold; children should accordingly put on more clothes.

③这篇文章前后不相应。

This essay is not coherent (what comes first and what comes afterwards do not connect well).

168

练习　　EXERCISES

## 一、选词填空：

器重　申请　业务　居然　个体户　根据　想法　毕业
发表　冒险　决定　前途　努力　　同意　理解

王大年今年25岁，大学（　　）已经三年多了，一直在大学当老师。他上学时，（　　）就很好，（　　）过不少论文，现在，工作也非常（　　），领导很（　　）他，说他是个有（　　）的青年。

可是，最近他（　　）提出了辞职（　　），不当老师了，去当（　　）。他认为，这不是（　　），而是（　　）自己的能力（　　）自己的前途。

他的（　　）和决定很快就得到了大家的（　　）和支持，领导也很快（　　）了他的请求。

## 二、用指定词完成句子：

1. 我想去中国留学，可是＿＿＿＿＿＿＿＿＿＿＿＿。（支持）

2. 你看今天的报纸了吗？报上＿＿＿＿＿＿＿＿＿＿＿。（发表）

3. 我想去中国作买卖，因为＿＿＿＿＿＿＿＿＿＿＿。（发挥）

4. 明天你们就要去旅行了，我祝你们＿＿＿＿＿＿。（顺利）

5. 一个人应该＿＿＿＿＿＿＿＿＿＿＿。（根据）

6. 怎么有那么多研究生退学了？＿＿＿＿＿＿＿。（理解）

三、请用二百字写一写你对团委书记辞职当个体户的看法。

四、听力练习（请听磁带）。

五、阅读下列短文：

### 她的新选择

1983年，小李35岁。她从农村来到了城市，在一个饭店当经理,每月工资108元。从此她有了铁饭碗,当时她心里很高兴。因为有了铁饭碗,就不用担心没有工作,而且工作不太忙,会有很多空闲时间。小李太需要时间了。从小,她就羡慕读书人、文化人;从小,她就希望上大学,当作家。现在,她决定报考业余大学,实现自己的理想。

然而,一年以后什么都变了。她交给领导一份辞职报告,要去开个体饭店。

她说:"我觉得现在最大的问题就是穷。挣108块,太少了!饭店每个月交给政府一万多块。要是我自己有一个饭店,不敢说一个月一万,一年挣一万准行。我相信,政策10年不会变,10年就是10万块,我为什么不去挣?"

就在她的新饭店开门的前一天,她收到了业余大学的通知书。她笑着对爱人说:"一辈子都想当个文化人,学学写小说,现在机会有了,又要挣钱了。"

6年过去了,小李的存款已超过10万,现在她还喜欢读书,还关心文学,不过当"读书人、文化人"已经是一个过去的梦了。

1. 铁饭碗　tiěfànwǎn　iron rice bowl
2. 空闲　kòngxián　spare time
3. 文化人　wénhuàrén　cultural worker
4. 个体　gètǐ　individual
5. 梦　mèng　dream

# 听力练习材料

## 1. 人口　住房　物价

### 1.1 人口大爆炸

**一、根据课文回答问题：**

1. 有一天，什么人来到了市内最大的一家百货商店？

　　答：一名记者和几名工作人员来到了百货商店。

2. 他们从几点到几点站在商店门口？

　　答：他们从中午十二点到十三点站在商店门口。

3. 他们是一起站在商店的一个门口吗？

　　答：不，他们是分别站在商店的四个大门口。

4. 他们站在那里干什么？

　　答：他们要统计顾客流量。

5. 北京火车站原设计客流量是多少？

　　答：北京火车站原设计客流量是日五、六万人。

6. 实际上，北京火车站日客流量是多少？

　　答：实际上，北京火车站日客流量达三十多万人。

7. 火车站把什么地方改成了临时候车室？

　　答：他们把所有的检票厅都改成了临时候车室。

8. 车站前面的广场上人多吗？

　　答：车站前面的广场上经常是人山人海的一片。

9. 在什么期间，一批日商住在广州宾馆？

　　答：在广州交易会期间，一批日商住在广州宾馆。

10. 什么时候，一位日商站在窗前看街？

　　答：一天黄昏的时候，一位日商站在窗前看街。

11. 南来北往的自行车，像什么似的来来去去？

　　答：南来北往的自行车，象蝗虫似的来来去去。

12. 专家认为，照目前的速度增长下去，到 1995 年年底，中国将会有多少人口？

　　答：专家认为，到那时，中国人口将会超过 12 亿。


## 二、对话：

男：小刘，你去过北京吗？

女：去过，去年夏天和几个朋友一起去的。

男：怎么样？玩得不错吧！

女：一点儿也不好！

男：为什么？

女：天气热得让人受不了。最高气温是摄氏三十八度。

男：是够热的。

女：室外气温高，室内气温也高，从早到晚一身汗气。

男：一直这么热吗？

女：不，后来好一点了。

男：那你们可以好好玩玩了。

女：也没玩好。

男：怎么呢？

女：人太多，有北京人，外地人，外国人，到处都是人。

男：唉，这也不是北京的问题，是中国的问题，中国人太多了。

女：是啊，最近电视台报道，中国人口已经达到十一亿了。

男：我想这个统计结果不一定正确，可能已经超过十一亿了。

172

女：听说，如果照目前的速度增长下去，到 1995 年年底，中国人口将会超过十二亿呢！

男：那真是人口大爆炸了。

## 1.2　找房子

**一、根据课文内容回答问题：**

1. 上海的一位工人，他结婚时住在什么地方？

　　答：他结婚时住在岳母家。

2. 岳母家的房子怎么样？

　　答：岳母家的房子很小，只有 4.7 平方米大。

3. 这间房内放得下两张床吗？

　　答：不，这间房内只放得下一张床。

4. 这位工人来了以后，他们怎么办？

　　答：这位工人来了以后，他们在床与房顶之间用木板搭出一个小空间来，岳母睡在这个小空间内，他和妻子睡在床上。

5. 看着岳母每天爬上爬下，这位工人心里舒服吗？

　　答：不，看着岳母每天爬上爬下，他心里非常难过。

6. 一个月以后，他搬家了，是吗？

　　答：是的，一个月后，他租到了一间 20 平方米的私房。

7. 私房的房租高不高？

　　答：私房的房租比较高，并且在后来的几年里，房租越来越高。

8. 为什么这位工人后来又搬了家？

　　答：因为房租太高，而他的工资又很低，所以他又租了一间便宜一点儿的房子。

9. 这间便宜一点儿的房子条件好不好？

　　答：很不好，房子后面有一个粪池，很臭，所以他们家的门窗四季都关着。

10. 最后,这位工人的住房问题是怎么解决的?

　　答:最后,这个工人工作的工厂买了一间房子分给了他。这间
　　　　房子光线和空气都很好,而且房租也很便宜。


**二、对话:**

女:小王!

男:张老师,您好!

女:你好,听说你要结婚了?

男:对,我要在今年十二月结婚。

女:学校分给你房子了吗?

男:还没有。

女:那么你们得住在父母家了?

男:不,住在父母家不方便,再说,他们的房子也不多。

女:那你……

男:我租了一间私房,是附近农民的。

女:条件怎么样?

男:还不错,有 15 平方米大,光线和空气也都好。

女:房租呢?

男:就是房租太贵,每个月要 32 元。

女:那是太贵了,住学校的房子每个月才交几块钱。

男:但是我分不到学校的房子。就是比我年龄大几岁的有了孩子的
　　人,也分不到学校的房子。

女:学校的住房问题太大了。

男:学校领导也知道,他们说要多盖一些楼,早一点儿让我们住上
　　新房。

女:那就好了。

男:希望是这样。


174

# 1.3 抢购风

## 一、根据课文内容回答问题：

1. 1987 年以前,中国的老百姓经常谈论涨价的事情吗？

答:1987 年以前,中国的老百姓从来不谈论涨价的事情。

2. 为什么中国的老百姓 1987 年以前从来不谈论涨价的事情？

答:因为许多商品 30 多年来从来没改变过价格。

3. 1988 年以来,最热门的话题是什么？

答:1988 年以来,最热门的话题是物价。

4. 为什么 1988 年以来,最热门的话题是物价？

答:因为近年来,大部分商品的价格都在不断上涨。

5. 什么商品的价格上涨得最厉害。

答:越是人民群众日常生活离不开的东西,价格上涨得越厉害。

6. 人们听说有的商品要涨价后,做什么？

答:他们一听说要涨价,就马上跑到百货商店去抢购。

7. 人们是去抢购自己需要的东西吗？

答:不,他们不是去抢购需要的商品,而是什么贵买什么。

8. 为什么抢购的人越贵越要买？

答:他们是想把货币变成实物,收藏起来。

9. 一位老售货员说,抢购的人像什么？

答:他说,抢购的人像龙卷风一样,都疯了。

## 二、对话：

女:老王,听说从九月一日起,又有一些商品要涨价。

男:你这是小道消息吧,最近一些商品刚涨了价,怎么又要涨价？

女:不管是不是小道消息,咱们还是买点东西留起来吧!

男：你又叫我去抢购？

女：别说得那么难听！大家都在留东西，咱们为什么不多留点儿？

男：你上次也是这么说的，要把钱变成实物，收藏起来，结果咱们买了那么多没用的东西留在那儿。

女：现在用不着，以后会有用的。

男：以后也不一定有用，五条毛毯，四十米白布，几十年也用不完。

女：可是洗衣机、电扇会有用的。

男：洗衣机、电扇也不应该买。现在咱们家用的洗衣机、电扇都是去年才买的，还很新，等它们坏了，又生产出新式样的洗衣机、电扇了，咱们抢购来的洗衣机就成了式样陈旧，无人购买的东西了。

女：不管你怎么说，我也要去再买点儿东西留起来。

男：你可以去买，但是你不能去银行拿钱。

# 2. 教育　就业

## 2.1 我是职业高中生

**一、根据课文内容回答问题：**

1. 什么是职业高中生？

　　答：职业高中生是在职业学校上课的中学生。

2. 职业高中生要学的课程多吗？

　　答：职业高中生要学的课程很多。他们要学普通高中课程，还要学职业学校的课程，

3. 如果一个职业高中生两门主科考试不及格怎么办？

　　答：他的职业高中生的资格就被取消。

4. 职业高中生有烦恼吗？为什么？

答:有烦恼。因为他们每天除了上课就是做功课,忙得晕头转向。

5. 他们有什么开心的事吗?

答:他们也有开心的事。他们利用暑假去工作、挣钱,然后去旅游、玩儿。

6. 职业高中生能不能考大学?

答:他们可以参加全国高等学校统一招生考试。

7. 考不上怎么办?

答:考不上也没关系,他们可以找到工作。

8. 什么是待业青年?

答:待业青年是一些中学毕业后既不能继续上学又找不到工作,在家里等待的青年。

9. 跟待业青年比,职业学校的学生幸运吗?

答:他们觉得自己太幸运了。


二、对话:

男:王丽,你好!

女:你好!张东。

男:好久不见,你最近怎么样?一切都好吗?

女:我很好,你呢? 你看,初中毕业以后我们没再见过面,你现在在干什么?

男:什么也不干,在家休息。

女:你待业了?

男:对,待业了。因为我没考上普通高中,所以没学上,又找不到工作,只好在家等,成了待业青年。

女:现在待业青年真不少,这是个社会问题。和你们比,我太幸运了。

男:你幸运? 你在干什么?

女：我考上了职业高中，学做衣服。

男：现在学做衣服可很热门。

女：是啊！我们毕业以后找工作很方便。

男：你们除了学做衣服的知识，还学别的吗？

女：学！普通高中的课程都得学。

男：那你们一定很紧张。

女：紧张极了，每天不是上课，就是做功课，忙得晕头转向。

男：职业高中生能考大学吗？

女：能。我就准备试一试。考上了，就去上大学，考不上，也没关系，反正有出路。

男：当个职业高中生真好！

女：我要去上课了，再见！

男：再见！

## 2.2 研究生退学风

**一、根据课文内容回答问题：**

1. 在北京大学，哪个系一向很热门？

　答：北京大学的物理系一向很热门。

2. 近来，物理系出现了一个什么怪现象？

　答：近来不少研究生要求退学，中断学业。

3. 他们要求退学的理由是什么？

　答：有些人以"身体欠佳"为理由，提出退学，而实际上他们的身体都很健康。

4. 这种退学风只是北大有吗？

　答：不，这种退学风不仅北大有，其他大学也有。

5. 为什么说研究生要求退学是一个奇怪的现象？

　答：因为在中国，考研究生很难。过去一人考上研究生，全家都

178

感到光荣,现在居然要求退学,当然是一个奇怪的现象。

6. 出现研究生要求退学的现象,与中国现行的研究生政策有关吗?

　　答:是的,与现行研究生政策有很大关系。

7. 正在攻读硕士学位的研究生能不能申请出国留学?

　　答:不,他们不能申请出国留学。

8. 已经毕业的研究生能不能申请出国留学?

　　答:已经毕业的研究生要工作两年以后才有资格申请自费留学。

9. 一个研究生毕业后,在哪儿工作工资比较高?

　　答:在一个大的企业单位,特别是在中外合资的单位工作,工资比较高。

10. 有一些研究生,从喜欢学校生活改变为喜欢社会生活了,为什么?

　　答:因为他们觉得学校生活单调、无聊,而社会生活丰富、有趣。


二、对话:

男:李燕华,听说你要退学了?

女:是的,我已经写了申请报告。

男:北大物理系全国有名,你为什么不上了?

女:我,我身体不太好。

男:你身体不错啊,是不是有别的原因?

女:对了,我想出国留学。

男:为什么出国留学一定要先退学?

女:你不知道现在有规定,正在学校上学的研究生根本不能申请留学。

男:是不是一定要等毕业了才能申请?

女:毕业了也不能马上申请,还要先工作两年,然后才能有资格申请。

男：为什么会有这种规定？

女：我想可能是现在想出国留学的研究生太多了，政府有些担心。

男：担心什么？

女：担心中国的知识分子外流。

男：这的确是个问题。你的申请会有问题吗？

女：还不知道，我在等待。

男：祝你顺利。

女：谢谢。

## 2.3 读书无用论

**一、根据课文内容回答问题：**

1. 浙江大学有一对副教授，他们有几个孩子？

   答：他们有三个孩子。

2. 他们家以前的生活怎么样？

   答：他们家以前的生活很穷，家里除了书，没有其它太多的东
   西。

3. 老大、老二毕业后，家里生活有改变吗？

   答：没有大的变化，家里生活仍然那么清苦。

4. 现在这个家里发生变化了吗？

   答：是的，这个家发生了很大的变化，彩电、冰箱等现代化家具
   都进了这对穷教授的家门。

5. 是谁给他们家带来了变化？

   答：是他们的小女儿给家里带来了变化，家里值钱的东西都是
   小女儿买的。

6. 他们的女儿上过大学吗？

   答：她没上过大学，因为她高考失利了。

7. 她在哪儿工作？

    答：她在杭州一家高级宾馆做经理的助手。

8. 教授为女儿骄傲吗？

    答：教授很为女儿骄傲，但是骄傲之后，却又十分难过。

9. 为什么教授会难过？

    答：因为他是一个大学教授，可是待遇还不如没读过大学的女儿。


## 二、对话：

男青年：校长，我要跟您谈谈。

女校长：请坐，谈什么问题？

男：谈我的工作问题。

女：你的工作很不错啊！四年前，你大学毕业后来到咱们学校当教师，工作一直很努力，同学们都喜欢你。

男：这个我知道，因为我很喜欢老师这个职业。

女：你的问题是……

男：校长，我最近考虑了很久，决定不教书了，去当个体户。

女：什么？不教书了？为什么？

男：因为……因为老师的生活太穷了，还不如没上过大学的人。

女：你这是"读书无用"论的思想，是不对的。

男：我知道不对，可是事实告诉我应该这样做。

女：你有什么事实？

男：我大哥小学毕业，却花了十万元造了一栋四层楼，我二哥高中毕业，也造了一栋三层楼，我呢，大学毕业，却只能住在父母留下的小平房里，就是结婚也结不起。

女：这些情况都不会太久的，知识分子的生活水平会提高的，收入也会慢慢增加。

男：提高知识分子的待遇可能需要三、五年，也许需要八年、十年，那时候我就老了，一切都晚了。

女：唉！你自己考虑决定吧！我觉得你还是教书好。

# 3. 恋爱　婚姻

## 3.1　一则征婚启事和应征者

**一、根据课文内容回答问题：**

1. 八八年五月的一天，上海《新民晚报》上出现了一则什么消息？

　　答：八八年五月的一天，上海《新民晚报》上出现了一则征婚启事。

2. 是一个什么样的人登了这则征婚启事？

　　答：是一个 34 岁的男的农民企业家。

3. 他要找一个长得什么样的，具有什么文化水平的姑娘为伴侣？

　　答：他要找一个长得较好，具有高中以上文化水平的姑娘为伴侣。

4. 征婚启事登出后，有人来应征吗？

　　答：有很多人来应征。才过了三天，就收到了约 400 封信。

5. 应征者中有大学生吗？

　　答：应征者中有不少人是大学生。

6. A 姑娘说，她喜欢什么样的男子汉？

　　答：她说，她喜欢在事业上有所作为的男子汉。

7. B 姑娘是不是愿意平平淡淡地度过一生？

　　答：不，她不愿平平淡淡地度过一生，她喜欢冒险。

8. C 姑娘是大学生吗？她对什么十分感兴趣？

　　答：她是大学生，对公共关系十分感兴趣。

9. C 姑娘还会些什么？

182

答:C 姑娘会说英语、日语,会打字、跳舞,还会喝酒。
10. 现在,征婚者找到自己满意的女朋友了吗?
答:他已经找到了自己满意的女朋友,正在热恋中。


**二、对话:**

男:老王,有一件事请你帮忙。

女:什么事? 你说吧,我一定帮忙。

男:我,我想请你帮我介绍一个对象。

女:介绍对象,这好办,你有什么条件呢? 农民企业家!

男:你知道,我需要有人帮我工作,我想找一位会社交、懂英语、能
当秘书的姑娘。

女:年龄和文化水平呢?

男:年龄在 25 岁至 30 岁之间都可以,文化水平最好在高中以上。

女:我朋友有一个女儿,不知道你觉得她怎么样?

男:她是做什么的?

女:她 25 岁,是一个大学生,今年毕业。

男:大学生? 可能不行吧! 她们看不起我们农民。

女:你可错了,现在的大学生喜欢事业上有所作为的男子汉,不管
你是工人、农民、还是知识分子。

男:她怎么样? 当秘书行吗?

女:她很活泼,也很聪明,对公共关系十分感兴趣,介绍给你最合
适。

男:还有一个问题,她长得怎么样?

女:我有她的照片,你可以看看。怎么样? 长得不错吧,是个漂亮姑
娘。

男:好,那就见面谈谈。

女:我要先和她谈谈,她也愿意,你们就见面,好吗?

男:好! 谢谢你。

女：不客气。

## 3.2 黄昏之恋

**一、根据课文内容回答问题：**

1. 聪聪为什么不愿意去幼儿园？

　　答：因为幼儿园老师要他表演，他不要表演，所以他不愿意去
　　　　幼儿园。

2. 为什么爷爷一听聪聪不去幼儿园就着了急？

　　答：因为上星期六就约好了，星期一把聪聪送进幼儿园，爷爷
　　　　就到"她"那里去。

3. 聪聪最后去幼儿园了吗？

　　答：没有，他和爷爷一起到奶奶家去了。

4. 奶奶的家什么样？

　　答：奶奶的家只有一间小小的屋子，但是屋内收拾得很干净，
　　　　而且屋前还种着各种好看的花草。

5. 奶奶给他们端来了什么吃的？

　　答：奶奶给他们端来一碗鸡蛋羹，一分为二，爷爷和孙子各吃
　　　　半碗。

6. 爷爷对奶奶说了什么？

　　答：爷爷对奶奶说："唉，星期天最不好过，儿子儿媳在家，不好
　　　　意思出来，可心里老是想着你。"

7. 奶奶怎么回答？

　　答：奶奶回答说："等哪天把事情向他们说明，咱们去登记一
　　　　下，就好了。"

8. 爷爷和聪聪玩到什么时候才回家？

　　答：他们一直玩到吃完晚饭才回家。

9. 聪聪的家里发生了什么事？

184

答:聪聪的家里已经闹翻天了。因为爸爸、妈妈和幼儿园的老师都不知道聪聪去哪儿了。

10. 儿子儿媳同意老人登记结婚吗？

答:他们说,我们怎么能反对呢？一百个同意,完全赞成。

## 二、对话:

男:对不起,我来晚了。

女:不晚,刚九点,快进屋吧!

男:你不知道,我的小孙子聪聪今天特别不听话,说什么也不肯去幼儿园。

女:那你就把他带来。

男:没有,最后他还是去幼儿园了。

女:你吃早饭了吗？我给你做了碗鸡蛋羹,我去端来。

男:谢谢!唉,昨天是星期天,真不好过,儿子儿媳在家,不好意思出来,可心里老是想着你。

女:等哪天你把事情向他们说明,咱们去登记一下,就好了。

男:对,该对他们说了。

女:要是他们不同意怎么办？

男:不会的,当初他们结婚,我没反对过,现在我要办事,他们怎么能反对呢？

女:话不能那么说,他们是年轻人,我们是老年人,不一样。

男:有什么不一样？给聪聪找一个奶奶,有什么不好？

女:要是他们真的反对呢？

男:要是他们真的反对,我就搬到你这儿来住。

女:还是和他们好好儿商量商量,大家和和气气的多好。

男:好,听你的,我会和他们好好商量的。

## 3.3 协议离婚

**一、根据课文内容回答问题：**

1. 在上海市民政局里，有一个办公室专门负责什么？

   答：在上海市民政局里，有一个办公室专门负责办理各种协议离婚。

2. 一天下午，办公室门口站着一对什么样的青年？

   答：一天下午，办公室门口站着一对个子很高、打扮入时的青年。

3. 这对青年怎么样走进了办公室？

   答：他们手挽着手走进了办公室。

4. 工作人员说，什么样的情况才可以离婚？

   答：工作人员说，婚姻法规定，双方感情确实已经破裂才可以离婚。

5. 工作人员给这对青年办理离婚手续了吗？

   答：是的，工作人员给这对青年办理了离婚手续。

6. 为什么工作人员给这对青年办理了离婚手续？

   答：因为这对青年说他们的感情已经彻底破裂，而且态度非常坚决。

7. 他们的感情真的已经彻底破裂了吗？

   答：没有。

8. 这对青年要离婚的真正原因是什么？

   答：他们觉得生活在一起没意思，不幸福。

9. 临别前，男青年对女青年说什么？

   答：临别前，男青年对女青年说："请多保重。"

10. 男青年还送给女青年了什么？

    答：他还送给女青年一根金项链。

186

二、对话：

男：小玲，我想跟你锬谈。

女：谈什么？

男：谈我们俩的事儿。

女：我们俩儿的事儿？

男：对，我早想对你说了，但一直不好意思开口。

女：别不好意思，有什么你就说吧！

男：是这样，我们结婚快三年了，你一直对我不错，我也很喜欢你，可是，我觉得咱们生活在一起没意思，不幸福。

女：不幸福？那你要怎么样？

男：我想……，我想和你离婚。

女：理由呢？婚姻法规定，双方感情确实已经破裂才可以离婚。

男：离婚为什么一定要感情破裂呢？双方都愿意离，那还不行吗？以后，如果双方觉得有意思了，还可以再登记结婚嘛！

女：我很理解你的想法，其实，我也经常觉得咱们的生活没意思，想改变，只是没想到过离婚，好吧，就照你说的办！

男：可是去哪儿办理手续呢？

女：我听说，民政局里有一个办公室专门负责办理各种协议离婚，我们可以去那儿。

男：好。不过去那儿之前，咱们应该再做一次"告别旅行"，你同意吗？

女：同意，咱们去黄山玩玩儿吧。

# 4. 家庭 妇女 儿童

## 4.1 我和老伴的拳舞之争

**一、根据课文内容回答问题：**

1. 老伴儿近来迷上了什么？

   答：老伴儿近来迷上了迪斯科。

2. 老伴儿说，跳迪斯科和打太极拳哪个活动量大？

   答：老伴儿说，跳迪斯科活动量大。

3. 过去打太极拳的人现在还打吗？

   答：过去打太极拳的人大部分都改行了。

4. 作者呢？也改行了吗？

   答：没有，作者还是觉得太极拳好，对老伴儿跳迪斯科看不惯。

5. 为什么作者不喜欢迪斯科？

   答：因为他觉得迪斯科的音乐太吵了，动作对老年人来说太轻浮。

6. 他和老伴儿有争论吗？

   答：他和老伴儿的争论越来越大，老伴儿叫他"顽固派"，他就叫伴儿.："洋务派"。

7. 他们的小孙女会走路说话了吗？

   答：他们的小孙女才一岁多，刚学走路说话。

8. 奶奶一高兴就教小孙女什么？

   答：奶奶一高兴就教小孙女扭两下屁股。

9. 爷爷一喜欢就教小孙女什么？

   答：爷爷一喜欢就教小孙女打几路拳。

10. 孙女喜欢什么？

188

答:她都喜欢。当她想跟奶奶去大街看汽车时,就扭两下屁股,
　　想叫爷爷买巧克力时,就舞几下拳头。


## 二、对话:

男:老伴儿,你去哪儿?

女:去公园。

男:是去打太极拳吗?等等,我也去。

女:不是去打太极拳,是去跳迪斯科。

男:跳迪斯科?那我不去了。

女:为什么?

男:我不喜欢迪斯科,那音乐太吵。

女:你去公园看看,过去打太极拳的人都改行了,只有你还打太极
　　拳。

男:我就是喜欢太极拳,迪斯科的动作对老年人来说太轻浮,老扭
　　屁股,我看不惯。

女:你啊,真是个"顽固派",迪斯科节奏快,活动量大,对身体有好
　　处,你跟我一起去吧!

男:有好处我也不去,那么快的节奏我这两百来斤的身子怎么跟得
　　上。

女:好、好、好,你不去!以后你打你的太极拳,我跳我的迪斯科,再
　　见,我要走了。

男:再见,早点儿回来。


# 4.2　我和丈夫


## 一、根据课文内容回答问题:

1、在这个故事里,妻子和丈夫谁在家里有权力?谁决定家里的大
　　事、小事?

答:妻子有权力,无论大事还是小事都要由妻子决定。

2、结婚以前,他们有什么协议?

答:他们的协议是:丈夫的一切收入都要交给妻子,妻子每月给丈夫二十元钱让他吸烟、理发、看电影……

3、丈夫的朋友们笑话他得了什么病?

答:大家笑话他得了"妻管严"。

4、妻子在报上读到几篇关于什么问题的文章?

答:妻子在报上读到了几篇关于男人存私房钱的文章。

5、什么是私房钱?

答:私房钱是指不让妻子知道的、丈夫自己一个人知道、一个人花的钱。

6、为什么报纸上谈男人存私房钱的文章很多?

答:因为现在城市里的男性,百分为八、九十的人都没有经济大权,所以他们都存私房钱。

7、妻子看了这些文章后有什么想法?作法?

答:妻子看了这些文章后担心丈夫也有私房钱,所以她去检查丈夫的衣服,翻他的口袋。

8、为什么一天下班后,丈夫为妻子买了礼物?

答:因为那天是妻子的生日。

9、丈夫是用什么钱买礼物的?

答:他把一部旧《辞源》卖了,他用卖书的钱为妻子买了礼物。

10、看到礼物,妻子想什么?说什么?

答:看到礼物,妻子非常感动,她对丈夫说,"你,也存点私房钱吧。"


二、对话:

男(丈夫):丽华,今天发工资了,给你钱。

女(妻子):一共是多少?

190

男：一共一百六十二块五。

女：怎么比上个月少了十块钱？

男：办公室里一位朋友结婚，大家每人拿十块钱为他买礼物。

女：这十块钱不能从工资里拿。

男：为什么？

女：你忘了咱们婚前达成的协议了吗？

男：没忘记，一切收入都交给你，我只有二十元钱。

女：对啊，所以这个月再给你十块就够了。

男：那怎么够，我要理发、吸烟，还要喝酒……。

女：没有办法，我要按协议办事。

男：你对我管得太多了，大家已经笑话我得了"妻管炎"，再这样下去，我只好去存私房钱。

## 4.3　贝贝进行曲

**一、根据课文内容回答下列问题：**

1. 贝贝一岁的时候，妈妈领工资的那天，下了班马上就回家了吗？

答：没有，妈妈下班回来得特别晚，她去给贝贝买吃的东西了。

2. 年轻的妈妈回到家里后累不累？

答：她很累，跌坐到椅子里，她精疲力尽了。

3. 为什么她会精疲力尽？

答：因为她跑了半个城市去给贝贝买吃的东西。

4. 她为贝贝买了什么东西？

答：她买了炼乳、桔子汁、巧克力、饼干……整整摆了半张床。

5. 年轻的爸爸看了以后满意吗？

答：他不太满意，皱皱眉头说："你真舍得，花了多少钱？"

6. 贝贝三岁的时候爸爸妈妈又为他买了什么？

答：他们为贝贝买了大衣，还买了大型玩具"变型金钢。"

7. 他们为什么为贝贝买大型玩具"变型金钢"？

　　答：他们说这是智力投资,应该买。

8. 贝贝五岁时,在动物园里玩得高兴吗？

　　答：在动物园里他玩得可高兴了。

9. 看小鸟时,爸爸考了贝贝一个什么问题？

　　答：爸爸问贝贝,树上有五只鸟,打死了一只,还剩几只？

10. 贝贝回答出来了吗？

　　答：他很快就回答出来了。

11. 爸爸高兴吗？他给了贝贝什么奖品？

　　答：爸爸非常高兴,他给了贝贝巧克力当奖品。

12. 爸爸为什么突然举起右手向贝贝打去？

　　答：因为他不给妈妈吃巧克力,还说"你们吃什么、穿什么没关系,关键是我。"


二、对话：

男：妈妈,我要吃巧克力。

女：咱们去买,前边就是商店。

男：我要多买一点儿。

女：好,多买一点儿。给你,够了吧！

男：妈妈,你看那是什么？真好玩。

女：那是美国玩具,"变型金钢"。

男：给我买一个吧,我喜欢。

女：让妈妈看看多少钱。

男：多少钱？贵不贵？

女：太贵了,八十二元,是妈妈月工资的一半,不能买。

男：我不干,我一定要买！一定要买！

女：不行,这个月还要给你爸爸买衣服呢！没钱给你买玩具。

男：(哭起来)你不给我买我就不走。

女：唉！你真不听话，好、好、好，给你买，你爸爸的衣服以后再说吧！

（孩子一手拿玩具，一手拿巧克力）

男：妈妈，咱们回家吧！

女：贝贝，妈妈有点儿饿，给我一块巧克力。

男：不，这是我的，不给你吃。

女：为什么？这是妈妈给你买的！

男：妈妈说过，你吃什么、穿什么都没关系，关键是让我高兴！

女：可是我为你花了那么多钱，你不能连一块巧克力也不给我吃啊！

# 5. 工资　奖金　职业的选择

## 5.1　第二职业

**一、根据课文内容回答问题：**

1. 中国人关于什么方面的观念正在逐步改变？

　　答：中国人关于"业余时间"的观念正在逐步改变。

2. 过去，中国人下班以后都干什么？

　　答：他们打扑克、下棋、看电视或跳舞。

3. 商品经济给市场带来了什么？

　　答：商品经济给市场带来了繁荣。

4. 什么使一向安份守己的中国人开阔了眼界？

　　答：商品经济使一向安份守己的中国人开阔了眼界。

5. 人们的日常生活离不开什么？

　　答：人们的日常生活离不开衣食住行。

6. 一辆什么样的自行车的存车费是国产车的五倍？

　　答：一辆中外合资生产的自行车的存车费是国产车的五倍。

7. 富裕的农民给城里人带来了什么?

　　答:富裕的农民给城里人带来了巨大的冲击。

8. 城里人开始利用业余时间做什么?

　　答:城里人开始利用业余时间寻找第二职业。

9. 在广州,那些没有第二职业的人被看作什么样的人?

　　答:他们被看作懒人,看作没有能力的人。

10. 学校的老师们到什么地方去兼职讲课?

　　答:他们到工厂的职工大学,到社会的业余大学去兼职,讲课。


## 二、对话:

男:老张,你发现没有,中国人的一些观念正在逐步改变。

女:你指什么方面?

男:我指对"业余时间"的安排。

女:对八小时以外的安排?

男:对,过去人们下班以后主要是休息。他们打扑克、下棋、看报纸、
　　看电视。

女:现在呢? 他们做什么?

男:现在啊,他们去找工作,去寻找第二职业。

女:你说得对。我有一个邻居,每天从工厂下班后,还要去给一个个
　　体户帮忙。

男:他们就是为了多挣一些钱。

女:中国人一向安份守己,没想到也琢磨起赚钱的事来了。

男:是商品经济使他们开阔了眼界。

女:现在市场真繁荣,商品多起来了,可是一般人没那么多钱去买。

男:所以啊,要想办法挣钱,增加收入。

女:现在有第二职业的人多不多?

男:越来越多了。在广州,那些没有第二职业的人被人们看作懒人,
　　看作没有能力的人。

194

女:看来我脑子里的传统的观念应该改变一下子。

## 5.2 两份万元奖金

**一、根据课文内容回答问题:**

1.林木旺是什么人? 在什么地方工作?

    答:他是福建省教育委员会的一位科研人员。

2.他还有别的工作吗?

    答:他还兼任厦门一个建筑公司的顾问。

3.为什么这个公司发给他一万元奖金?

    答:因为他为国家节约了一百万元资金。

4.林木旺把钱收下了吗?

    答:他一开始不敢收,后来省里领导说业余工作的报酬可以
       拿,他才把钱收下了。

5.他是把一万元都留给自己了吗?

    答:没有。他交了税,还要捐献三千元给省教育委员会作为奖
       励基金。

6.张兴让是什么人? 在什么地方工作?

    答:张兴让是河北省一个塑料厂的厂长。

7.政府为什么发给他一万元奖金?

    答:因为他发明了一种新的工作方法,为了奖励他,政府发给
       他一万元奖金。

8.一些热心人向张兴旺提出什么建议?

    答:有的人让他把钱退给政府,有的让他把钱捐给社会,还有
       的让他把钱分给全厂工人。

9.张兴让作出了什么决定? 他把钱全部收下了吗?

    答:是的,他认真考虑之后,决定把奖金全部留给自己。

10.为什么张兴让不把钱分给全厂工人?

答:他说,如果把奖金平均分给大家,就是助长继续吃大锅饭,
　　这违背按劳分配的原则。


二、对话:

男:老杨,我想和你商量一件事?

女:什么事? 王教授,你说吧!

男:你知道,我在一个农村的小工厂当技术顾问,每个星期天都要
　　去。

女:我早听说了,这个工厂生产塑料杯子,你对他们帮助不少,对
　　吧?

男:是有些帮助,特别是最近,我帮助他们解决了一个新产品的技
　　术问题。

女:那很好啊。

男:可是,它带来了麻烦。

女:带来麻烦?

男:对,他们要奖励我,发给我三千元奖金。我不知道该怎么办?

女:三千元,数目不小,差不多是一个教授一年的工资。

男:是啊,所以我来和你商量。

女:这钱应该归你,因为这是你业余时间的劳动报酬。技术顾问是
　　你的第二职业。

男:可是有人告诉我,每个月拿一百元左右奖金还可以,一次拿三
　　千元太多了,所以我想上交一部分钱给学校。

女:我建议你去问问学校领导,让他们表示一个意见。

男:看来只好这样了。


## 5.3　团委书记辞职当个体户


一、根据课文内容回答问题:

196

1. 孙爱国是什么人？

　　答：他是上海一所大学的团委书记，刚刚当选为共青团十二大
　　　　代表。

2. 为什么他成为一位新闻人物？

　　答：因为他向学校领导提出辞职申请，准备去当个体户。

3. 他担任团委书记的时间长吗？

　　答：他担任团的领导工作已经三年多了。

4. 他的业务能力怎么样？

　　答：他的业务能力也不错，已经发表过不少论文。

5. 大家对他的看法怎么样？

　　答：大家都认为他是个很有前途的青年。

6. 他要辞职，别人理解吗？

　　答：对于他的辞职，许多人都无法理解。

7. 孙爱国认为，辞职当个体户冒险吗？

　　答：不，他认为，那不是冒险，而是观念的改变。

8. 为什么孙爱国要辞职当个体户？

　　答：他认为在学校工作不能充分发挥他的能力。他愿当个体
　　　　户，积累一笔钱，将来办更大一些的事业。

9. 后来，大家理解他了吗？

　　答：他的想法很快就得到了大家的理解和支持。

10. 学校领导同意了他的辞职申请吗？

　　答：学校领导虽然很想让他留下，但最后还是同意了他的请
　　　　求。


二、对话：

女：李老师，告诉你一条新闻？

男：什么新闻。

女：孙爱国辞职去当个体户了。

男：孙爱国，是那个团委书记吗？

女：是啊，他最近还刚刚当选为共青团十二大代表呢！

男：他为什么辞职？听说他政治、业务都不错，是个有前途的青年。

女：对，他已经发表过不少论文了。

男：是不是和领导关系不好？

女：不，领导很器重他。

男：那到底是为什么？丢掉铁饭碗，有一点儿冒险吧！

女：他说，这不是冒险，是观念的改变。

男：观念的改变？

女：是啊，我们不理解年轻人的思想，小孙认为，现在是改革开放时期，人们的价值观念、职业观念都应改变，当团委委书记不一定比个体户地位高。

男：那么说，他想去挣大钱了？

女：我也说不清楚，你可以去和他谈一谈。

男：谈了我也不会理解，还是不谈为好。

# 词 汇 表

## A

| 安份守己 | ānfènshǒujǐ | *Ph.* well behaved；law abiding | 5—1 |
| 安慰 | ānwèi | *V.* to comfort | 4—2 |
| 暗暗地 | àn'ànde | *Adv.* secretly | 4—2 |
| 按劳分配 | ànláofēnpèi | distribution according to work | 5—2 |
| 昂贵 | ángguì | *Sv.* expensive | 1—3 |

## B

| 白布 | báibù | *N.* plain white cloth | 1—3 |
| 摆 | bǎi | *V.* put；place；arrange | 4—3 |
| 百货商店 | bǎihuò shāngdiàn | *N.* department store | 1—1 |
| 百万大军 | bǎiwàn dàjūn | *N.* a veritable army of soldiers (a metaphor) | 1—1 |
| 伴侣 | bànlǚ | *N.* companion | 3—1 |
| 办学 | bànxué | *VO.* run a school | 2—0 |
| 棒 | bàng | *Sv.* excellent | 4—3 |
| 包干 | bāogān | *V.* cover everything (cover all costs) | 4—2 |
| 宝贝 | bǎobèi | *N.* darling；treasure | 3—2 |
| 保守 | bǎoshǒu | *Sv.* conservative | 3—0 |
| 保重 | bǎozhòng | *V.* take good care of yourself；offer good wishes to the second party) | 3—3 |
| 抱 | bào | *V.* hug；hold···in the arms | 4—3 |

199

| 彩电 | cǎidiàn | *N.* color television | 2—3 |
|---|---|---|---|
| 差 | chà | *Sv.* not up to standard；bad | 2—0 |
| 产生 | chǎnchēng | *V.* produce | 1—0 |
| 长凳 | chángdèng | *N.* bench | 3—3 |
| 厂长 | chǎngzhǎng | *N.* factory director | 5—2 |
| 超过 | chāoguò | *V.* exceed | 1—0 |
| 超支 | chāozhī | *N.* overdraft | 4—2 |
| 吵 | chǎo | *V.* disturb；quarrel | 4—1 |
| 彻底 | chèdǐ | *Adv.* thoroughly | 3—3 |
| 陈旧 | chénjiù | *Sv.* old—fashioned； |  |
|  |  | outmoded；obsolete | 1—3 |
| 趁机会 | chèn jīhuì | *VO.* to take advantage of an |  |
|  |  | situation | 4—2 |
| 成就 | chéngjiù | *N.* achievemene | 5—0 |
| 吃大锅饭 | chī dàguōfàn | *VO.* eat from the big pot（e- |  |
|  |  | qualitarianism） | 5—2 |
| 冲 | chōng | *V.* dash；rush | 1—3 |
| 冲击 | chōngjī | *V.* to strike forcefully； |  |
|  |  | *N.* impact | 5—0 |
| 充分 | chōngfèn | *Adv.* fully | 5—3 |
| 臭味 | chòuwèi | *N.* bad/offensive smell | 1—2 |
| 初中 | chūzhōng | *N.* junior high school | 2—1 |
| 除非…要 | chúfēi… | *Con.* unless…otherwise… |  |
| 不然… | yàoburán… |  | 1—3 |
| 厨房 | chúfáng | *N.* kitchen | 3—1 |
| 传出 | chuánchū | *RV.* spread | 1—3 |
| 喘不过气 | chuǎn bu guò | out of breath |  |
| 来 | qi lái |  | 2—1 |

| 喘气 | chuǎnqì | *V.* breathe heavily | 4—3 |
|---|---|---|---|
| 窗户 | chuānghu | *N.* window | 1—1 |
| 春季 | chūnjì | *N.* spring | 1—1 |
| 词典 | cídiǎn | *N.* dictionary | 4—2 |
| 辞源 | cíyuán | *N.* etymology | 4—2 |
| 辞职 | cízhí | *V.* resign | 5—3 |
| 从事 | cóngshì | *V.* undertake;be engaged in | 5—1 |
| 脆响 | cuìxiǎng | *Adv.* crisply | 4—3 |
| 存车费 | cúnchē fèi | *NP.* parking fee | 5—1 |
| 存在 | cúnzài | *V.* exist | 3—0 |
| 存折 | cúnzhé | *N.* deposit book | 4—2 |

## D

| 搭 | dā | *V.* build;put up | 1—2 |
|---|---|---|---|
| 达 | dá | *V.* reach | 1—1 |
| 达到 | dádào | *V.* reach;come up to | 2—0 |
| 打扮 | dǎbàn | *V.* to make up (said of a woman, an actor or actress;to dress up) | 3—3 |
| 打扑克 | dǎ pūkè | *VO.* play poker | 5—1 |
| 打球 | dǎ qiú | *VO.* play ball | 2—1 |
| 打太击拳 | dǎ tàijíquán | *VO.* do taiji(shadow boxing) | 4—1 |
| 大包 | dàbāo | *N.* big bag | 4—3 |
| 大幅度 | dà fúdù | *N.* great extent;large scope | 1—3 |
| 大权 | dàquán | *N.* power over major issues | 4—2 |
| 代表 | dàibiǎo | *N.* representative | 5—3 |
| 待业 | dài yè | *VO.* await job assignment | 2—1 |
| 待遇 | dàiyù | *N.* pay;wages;salary | 2—3 |
| 单调 | dāndiào | *Sv.* monotonous;dull | 2—2 |

202

| 担任 | dānrèn | V. hold the post of ; assume the office of | 5—3 |
|------|--------|------|-----|
| 单位 | dānwèi | N. unit | 2—2 |
| 单元 | dānyuán | N. unit | 1—0 |
| 当前 | dāngqián | Sv. at present ; current | 2—0 |
| 当选 | dāngxuǎn | V. be elected | 5—3 |
| 得意 | déyì | Sv. complacent Adv. complacently | 4—3 |
| 登记 | dēngjì | V. register | 3—2 |
| 等待 | děngdài | V. wait | 2—1 |
| 地位 | dìwèi | N. position ; status | 5—3 |
| 电报 | diànbào | N. telegram ; cable | 3—1 |
| 电冰箱 | diàngbīngxiāng | N. refrigerator | 1—3 |
| 电扇 | diànshàn | N. electric fan | 1—3 |
| 电视大学 | diànshìdàxué | N. television university | 3—1 |
| 电视台 | diànshìtái | N. television station | 1—1 |
| 电子琴 | diànzǐqín | N. electronic keyboard | 5—1 |
| 跌 | diē | V. fall down | 4—3 |
| 栋 | dòng | M. for building | 2—3 |
| 动物园 | dòngwùyuán | N. zoo | 4—3 |
| 动作 | dòngzuò | N. movement ; action | 4—1 |
| 都怪你 | dōuguàinǐ | it's all your fault | 3—2 |
| 逗 | dòu | V. tease ; play with | 4—3 |
| 独立 | dúlì | V/N. independent ; independence on one's own | 4—0 |
| 读书人 | dúshūrén | N. literate person ; educated person | 5—0 |
| 度 | dù | N. degree | 1—1 |

203

| 渡过 | dùguò | *V.* spend | 3—1 |
| 对象 | duìxiàng | *N.* boy or girl friend | 3—0 |

E

| 儿孙 | érsūn | *N.* children and grandchildren | 4—0 |
| 儿童 | értóng | *N.* children | 2—0 |
| 儿媳 | érxí | *N.* daughter-in-law | 3—2 |

F

| 发 | fā | *V.* issue/give(pay;bonus,etc) | 5—2 |
| 发表 | fābiǎo | *V.* publish;issue | 5—3 |
| 发挥 | fāhuī | *V.* give play to; bring into play;enhance | 5—3 |
| 发明 | fāmíng | *V.* invent | 4—1 |
| 发生 | fāshēng | *V.* take place;occur | 2—3 |
| 发问 | fā wèn | *VO.* ask/raise a question | 3—3 |
| 发现 | fāxiàn | *V/N.* discover;discovery | 1—1 |
| 番 | fān | *M.* a course(of events); times(occasions);same as | 3—3 |
| 翻口袋 | fān kǒudài | *VO.* to go through pockets | 4—2 |
| 烦恼 | fánnǎo | *N/Sv.* trouble;vexation | 2—1 |
| 繁荣 | fánróng | *Sv.* be prosperous | 5—1 |
| 反对 | fǎnduì | *V.* oppose | 3—0 |
| 反而 | fǎn'ér | *Con.* on the contrary | 2—1 |
| 反映 | fǎnyìng | *V.* reflects | 1—0 |
| 反正 | fǎnzhèng | *Adv.* anyway | 4—3 |
| 饭票 | fànpiào | *N.* food coupon;mealticket | 4—3 |
| 方式 | fāngshì | *N.* way;fashion | 3—0 |
| 房顶 | fángdǐng | *N.* ceiling | 1—2 |

| 房租 | fángzū | N. rent (for a horse, apartment, etc.) | 1—2 |
| 分给 | fēngěn | RV. distribute to; allot to | 5—2 |
| 分配 | fēnpèi | V. assign; allot | 1—2 |
| 分手 | fēnshǒu | VO. part company; say goodbye | 1—3 |
| 粪池 | fènchí | N. manure pit | 1—2 |
| 疯 | fēng | V. crazy; insane | 1—3 |
| 风潮 | fēngcháo | N. agitation; unrest | 1—3 |
| 丰富 | fēngfù | Sv. rich; abundant | 2—2 |
| 封建 | fēngjiàn | N. feudalism | 3—0 |
| 否认 | fǒurèn | V. deny | 2—1 |
| 服从 | fúcóng | V. submit (oneself) to | 4—0 |
| 福利 | fúlì | N. material benefits; welfare | 1—2 |
| 腐败 | fǔbài | Sv. corrupt | 1—0 |
| 负担 | fùdān | N. burden | 1—2 |
| 附近 | fùjìng | N. in the vicinity of | 3—2 |
| 副教授 | fùjiàoshòu | N. associate professor | 2—3 |
| 富裕 | fùyù | Sv. rich; well-to-do | 5—1 |
| 负责 | fùzé | VO. be responsible for | 3—3 |

G

| 改行 | gǎi háng | VO. change one's profession | 4—1 |
| 改革 | gǎigé | N. reform | 5—3 |
| 盖 | gài | V. build | 1—0 |
| 感到 | gǎndào | V. feel | 3—1 |
| 感动 | gǎndòng | Sv. touched; moved (emotionally) | 3—3 |

| 感情 | gǎnqíng | *N.* emotion | 3—0 |
|------|---------|--------------|-----|
| 感谢 | gǎnxiè | *V.* be grateful | 1—2 |
| 感兴趣 | gǎn xìngqù | *VO.* have interest in | 3—1 |
| 干活 | gànhuó | *V.* work | 3—2 |
| 高等学校 | gāoděngxuéxiào | *N.* colleges and universities | 2—1 |
| 高考 | gāokǎo | *N.* college entrance examination | 2—3 |
| 高中生 | gāozhōngshēng | *N.* senior high school student | 2—1 |
| 告别 | gàobié | *V.* to say farewell, to take leave; to announce one's departure | 3—3 |
| 隔壁 | gébì | *N.* next door | 3—3 |
| 各 | gè | *PN.* each | 3—2 |
| 个体户 | gètǐhù | *N.* a small private business (a term used in China only) | 2—1 |
| 根本 | gēnběn | *Adv.* radically; thoroughly | 3—0 |
| 工程师 | gōngchéngshī | *N.* engineer | 2—3 |
| 攻读 | gōngdú | *V.* study; specialize in | 2—2 |
| 公共关系 | gōnggòng guānxì | *N.* public relations | 3—1 |
| 工具书 | gōngjùshū | *N.* reference book | 4—2 |
| 公司 | gōngsī | *N.* company; corporation | 5—2 |
| 工资 | gōngzī | *N.* wages; pay | 1—2 |
| 贡献 | gòngxiàn | *V/N.* contribute; contribution | 4—0 |
| 购买 | gòumǎi | *V.* purchase | 1—3 |
| 股 | gǔ | *M.* for unrest | 1—3 |
| 鼓掌 | gǔzhǎng | *VO.* clap one's hands | 4—1 |
| 顾客 | gùkè | *N.* customer | 1—1 |

| 顾问 | gùwèn | N. adviser;consultant | 5—2 |
|------|-------|------------------------|------|
| 刮 | guā | V. stir up;(wind blows) | 1—3 |
| 观察 | guānchá | V. observe | 4—2 |
| 关键 | guānjiàn | N. key;key point | 4—3 |
| 观念 | guānniàn | N. concept idea | 3—0 |
| 关系到 | guānxìdào | V. affects/related to | 1—0 |
| 光荣 | guāngróng | Sv. honoured | 2—2 |
| 光线 | guāngxiàn | N. light;ray | 1—2 |
| 广场 | guǎngchǎng | N. public square | 1—1 |
| 广告 | guǎnggào | N. advertisement | 2—1 |
| 规定 | guīdìng | V/N. regulation | 2—1 |
| 归公 | guīgōng | VO. to turn over to the authorities | 4—2 |
| 柜台 | guìtái | N. coanter | 5—1 |
| 国产 | guóchǎn | N. domestic product | 5—1 |
| 过时 | guòshí | Sv. outdated | 4—2 |

## H

| 汗气 | hànqì | N. sweaty atmosphere | 1—1 |
|------|-------|------------------------|------|
| 汗珠 | hànzhū | N. beads of sweat | 3—1 |
| 合得来 | hé de lái | RV. get along well | 3—2 |
| 合用 | héyòng | Sv. suited to one's purpose | 4—2 |
| 候车室 | hòuchēshì | N. waiting in a railway or bus station | 1—1 |
| 花 | huā | V. spend;expend | 2—0 |
| 花本钱 | huā běnqián | VO. spend money/time/energy on··· | 4—3 |
| 花草 | huācǎo | N. flowers and plants | 3—2 |
| 环境 | huánjìng | N. environment;surroundings | 1—2 |

207

| 换洗 | huànxǐ | V. to wash(clothes) | 4—2 |
| 蝗虫 | huángchóng | N. locust | 1—1 |
| 皇帝 | huángdì | N. emperor | 4—0 |
| 黄昏 | huánghūn | N. dusk | 1—1 |
| 挥 | huī | V. wave | 4—1 |
| 婚事 | hūnshì | N. marriage；wedding | 4—0 |
| 婚姻 | hūnyīn | N. marriage | 3—0 |
| 活动 | huódòng | N. activity | 2—1 |
| 活动量 | huódòngliàng | N. capacity for exercise（to benefit one's health） | 4—1 |
| 货币 | huòbì | N. currency | 1—3 |

### J

| 鸡蛋羹 | jīdàngēng | N. egg custard(usually salty) | 3—2 |
| 几乎 | jīhū | Adv. almost；nearly | 4—0 |
| 积极 | jījí | Adv. work with all one's energy | 3—2 |
| 基金 | jījīn | N. reserve fund | 5—2 |
| 积累 | jīlěi | V. accumulate | 5—3 |
| 及格 | jígé | V. pass(a test) | 2—1 |
| 即使 | jíshǐ | Con. even if | 2—1 |
| 几辈人 | jǐbèirén | N. several generations | 4—0 |
| 挤满 | jǐmǎn | RV. filled to capacity | 1—3 |
| 季节 | jìjié | N. seasons | 1—3 |
| 既然 | jìrán | Con. such being the case | 3—2 |
| 技术 | jìshù | N. skill | 1—2 |
| 记者 | jìzhě | N. reporter | 1—1 |
| 家产 | jiāchǎn | N. family property | 3—3 |
| 家长 | jiāzhǎng | N. the head of a family | 4—0 |

208

| 价格 | jiàgé | *N.* price | 1—3 |
|------|-------|-----------|-----|
| 坚决 | jiānjué | *Sv.* firm;determined | 3—3 |
| 兼任 | jiānrèn | *V.* to hold (a concurrent post) | 5—2 |
| 兼职 | jiānzhí | *V/N.* hold two or more jobs concurrently | 2—3 |
| 检查仓库 | jiǎnchá cāngkù | *VO.* to check warehouse stocks | 2—1 |
| 检票厅 | jiǎnpiàotīng | *N.* a room where tickets are checked | 1—1 |
| 健康 | jiànkāng | *Sv.* healthy/ *N.* health | 2—2 |
| 建立 | jiànlì | *V.* found;set up | 4—0 |
| 建议 | jiànyì | *N.* proposal;suggestion | 5—2 |
| 建筑 | jiànzhù | *N.* construction | 5—2 |
| 奖品 | jiǎngpǐn | *N.* award;prize | 4—3 |
| 骄傲 | jiāo'ào | *Sv.* proud | 2—3 |
| 交房租 | jiāo fángzū | *VO.* pay rent | 1—2 |
| 交税 | jiāo shuì | *VO.* pay tax | 5—2 |
| 交通 | jiāotōng | *N.* traffic | 1—0 |
| 交易 | jiāoyì | *N.* trade | 1—1 |
| 教育 | jiàoyù | *N.* education | 2—0 |
| 结婚 | jiéhūn | *V.* to get married | 1—0 |
| 结构 | jiégòu | *N.* structure | 4—0 |
| 结果 | jiéguǒ | *N.* result | 1—1 |
| 结合 | jiéhé | *V.* integrate;combine | 4—1 |
| 节省 | jiéshěng | *V.* economize;use sparingly; | 1—2 |
| 结帐 | jiézhàng | *VO.* to settle accounts | 2—1 |
| 节奏 | jiézòu | *N.* beat;musical rhythm | 4—1 |
| 斤 | jīn | *N.* Chinese unit of weight = 1/2 kilogram | 4—1 |

209

| 进行曲 | jìnxíngqǔ | *N.* march | 4—3 |
| 经费 | jīngfèi | *N.* funds; outlay | 2—0 |
| 惊呼 | jīnghū | *V.* cry out in amazement | 1—1 |
| 经济 | jīngjì | *N.* economy | 3—0 |
| 经济学 | jīngjìxué | *N.* economics | 2—1 |
| 经理 | jīnglǐ | *N.* manager | 2—3 |
| 精疲力尽 | jīngpílìjìn | *Ph.* exhausted | 4—3 |
| 经商 | jīngshāng | *VO.* engage in trade | 5—0 |
| 竟 | jìng | *Adv.* unexpectedly | 1—3 |
| 就业 | jiùyè | *VO.* get a job | 2—0 |
| 居民 | jūmín | *N.* resident | 1—0 |
| 拘束 | jūshù | *V.* restrain | 4—2 |
| 举手 | jǔshǒu | *VO.* put up one's hand or hands | 3—2 |
| 聚 | jù | *V.* assemble; get together; gather | 4—1 |
| 巨大 | jùdà | *SV.* big; huge | 4—3 |
| 具有 | jùyǒu | *V.* have | 3—1 |
| 捐献 | juānxiàn | *V.* contribute (to an organization); donate | 5—2 |

**K**

| 咖啡馆 | kāfēiguǎn | *N.* café | 3—1 |
| 开放 | kāifàng | *N.* open—door (policy) | 5—3 |
| 开阔 | kāikuò | *V.* open wide; broader | 5—1 |
| 开眼界 | kāi yǎnjiè | *VO.* widen one's view; broaden one's mind | 4—3 |
| 考虑 | kǎolǜ | *V.* think over; consider | 2—2 |
| 科研 | kēyán | *N.* scientific research | 2—2 |

| 可耻 | kěchǐ | *Sv.* shameful | 5—0 |
|---|---|---|---|
| 课程 | kèchéng | *N.* course | 2—1 |
| 肯 | kěn | *V.* be willing to | 3—2 |
| 空间 | kōngjiān | *N.* space | 1—2 |
| 空气 | kōngqì | *N.* air | 1—2 |
| 恐慌 | kǒnghuāng | *Sv.* panic | 1—3 |
| 枯燥 | kūzào | *S.v* uninteresting | 2—2 |
| 苦脑 | kǔnǎo | *Sv.* depressed | 2—1 |
| 裤子 | kùzi | *N.* pants | 4—2 |
| 会计 | kuàiji | *N.* accountant | 2—1 |

L

| 拉 | lā | *V.* pull | 3—2 |
|---|---|---|---|
| 来源 | láiyuán | *N.* source | 4—2 |
| 劳动 | láodòng | *N.* work; labour | 5—2 |
| 老伴 | lǎobàn | *N.* (of an old married couple) husband or wife | 4—1 |
| 类 | lèi | *M.* kind; type | 2—0 |
| 楞 | lèng | *V.* be dumbfounded | 3—2 |
| 离婚 | líhūn | *V.* divorce | 3—0 |
| 理发 | lǐfà | *V/N.* haircut to get | 4—2 |
| 理解 | lǐjiě | *V.* understand; comprehend | 5—3 |
| 礼物 | lǐwù | *V.* presents | 4—2 |
| 理想 | lǐxiǎng | *Sv.* ideal | 2—2 |
| 理由 | lǐyóu | *N.* reason; grounds (for something to happen) | 3—3 |
| 理直气壮 | lǐzhíqìzhuàng | *Ph.* with perfect assurance; being bold and assured | 4—3 |

| 厉害 | lìhài | *Sv.* devastating | 1—1 |
|---|---|---|---|
| 立刻 | lìkè | *Adv.* immediately | 1—1 |
| 连忙 | liánmáng | *Adv.* quickly | 4—2 |
| 连续 | liánxù | *Adv.* (several times)in a row | |
| | | | 4—2 |
| 恋 | liàn | *N.* love | 3—2 |
| 恋爱 | liàn′ ài | *N.* love | 3—0 |
| 聊天 | liáotiān | *VO.* chat | 2—1 |
| 临时 | línshí | *Adv.* temporary | 1—1 |
| 领导 | lǐngdǎo | *N.* leader | 5—2 |
| 领工资 | lǐng gōngzī | *VO.* get paid | 4—3 |
| 令 | lìng | *V.* make；cause | 5—0 |
| 令人 | lìng rén | *VO.* it makes one… | 1—3 |
| 流量 | liúliàng | *N.* rate of flow | 1—1 |
| 留心 | liúxīn | *V.* to pay close attention to | 4—2 |
| 留学 | liúxué | *V.* go study abroad | 2—2 |
| 龙卷风 | lóngjuǎnfēng | *N.* tornado | 1—3 |
| 搂 | lǒu | *V.* hug；embrace | 3—2 |
| 论 | lùn | *N.* theory | 2—3 |
| 论文 | lùnwén | *N.* paper | 5—3 |
| 落后 | luòhòu | *Sv.* fall behind | 2—0 |

## M

| 满意 | mǎnyì | *Sv.* satisfaction | 4—3 |
|---|---|---|---|
| 毛毯 | máotǎn | *N.* woolen blanket | 1—3 |
| 冒险 | màoxiǎn | *V.* take a risk/ *N.* adventare | 3—1 |
| 美差事 | měichāishì | *N.* a terrific job | 2—1 |
| 美德 | měidé | *N.* virtue | 4—2 |
| 美术 | měishù | *N.* arts and crafts | 2—1 |

| 猛然 | měngrán | *Adv*. suddenly | 3—2 |
| 猛增 | měngzēng | *V*. increase drastically | 1—3 |
| 迷上了 | mí shang le | *RV*. infatuated | 4—1 |
| 密 | mì | *Sv*. dense；thick | 1—1 |
| 秘书 | mìshū | *N*. secretary | 3—1 |
| 面积 | miànji | *N*. area | 1—0 |
| 面面观 | miànmiànguān | *N*. (various aspects) | 1—1 |
| 民政局 | mínzhèngjú | *N*. civil administration bureau | 3—3 |
| 木板 | mùbǎn | *N*. wooden board | 1—2 |

<h3 style="text-align:center">N</h3>

| 拿…来说 | ná…láishuō | for example | 2—0 |
| 奶奶 | nǎinai | *N*. grandmother | 4—1 |
| 难道…吗 | nándào…ma | do you mean to say… | 4—2 |
| 男性 | nánxìng | *N*. male | 4—2 |
| 闹翻天 | nào fān tiān | *RV*. raise a rumpus | 3—2 |
| 内疚 | nèijiū | *N*. guilty conscience | 4—2 |
| 能够 | nénggòu | *Adv*. be able to | 1—2 |
| 年薪 | niánxīn | *N*. annual pay | 3—1 |
| 扭 | niǔ | *V*. (of body movement) sway from side to side | 4—1 |
| 农村 | nóngcūn | *N*. rural area；village | 2—0 |

<h3 style="text-align:center">P</h3>

| 爬 | pá | *V*. climb | 1—2 |
| 派 | pài | *N*. group；faction | 4—1 |
| 跑遍 | pǎobiàn | *RV*. searched all over (exhausted all possibilities) | 4—3 |

| 培养 | péiyǎng | V. foster; develop; train | 2—3 |
|------|---------|---------------------------|-----|
| 屁股 | pìgu | N. buttocks; bottom | 4—1 |
| 篇 | piān | M. for report | 1—0 |
| 凭 | píng | V. rely one; depend on | 1—2 |
| 平方米 | píngfāngmǐ | N. square metre | 1—0 |
| 平房 | píngfáng | N. single—storey house | 2—3 |
| 评价 | píngjià | V. comment | 1—1 |
| 平均 | píngjūn | V. average | 1—0 |
| 平平淡淡 | píngpíngdàndàn | Sv. plainly; unexcitedly | 3—1 |
| 破裂 | pòliè | V. broke down; broken up | 3—3 |
| 普通 | pǔtōng | Sv. general; ordinary; commor | |
| | | | 2—1 |

## Q

| 妻管严 | qīguǎnyán | (lit) wife oversees strictly the husband | 4—2 |
|--------|-----------|------------------------------------------|-----|
| 期间 | qījiān | N. a period of time | 1—1 |
| 七十年代末 | qīshíniándàimò | TW. the end of the 70' s | 1—0 |
| 妻子 | qīzi | N. wife | 3—0 |
| 奇观 | qíguān | N. a spectacular sight | 1—1 |
| 启事 | qǐshì | N. announcement | 3—1 |
| 企业 | qǐyè | N. enterprise | 2—2 |
| 企业管理 | qǐyè guǎnlǐ | N. business management | 2—1 |
| 企业家 | qǐyèjiā | N. entrepreneur | 3—0 |
| 气温 | qìwēn | N. (air) temperature | 1—1 |
| 千家万户 | qiānjiā wànhù | N. thousands and thousands of families | 1—0 |
| 谦让 | qiānràng | V. modestly decline; yield from modesty | 3—3 |

| 钱财 | qiáncái | *N.* wealth; money | 4—0 |
|---|---|---|---|
| 前途 | qiántú | *N.* future; prospect | 4—0 |
| 抢购 | qiǎnggòu | *V.* rush to purchase | 1—3 |
| 巧克力 | qiǎokelì | *N.* chocolate | 4—1 |
| 亲 | qīn | *V.* kiss | 4—3 |
| 亲朋好友 | qīnpénghǎoyǒu | relatives and friends | 3—3 |
| 轻浮 | qīngfú | *Sv.* frivolous | 4—1 |
| 清苦 | qīngkǔ | *Sv.* poor; in strained cir-cumsztances | 2—3 |
| 情况 | qíngkuàng | *N.* condition; circums-tances | 2—0 |
| 请求 | qǐngqiú | *N.* request | 5—3 |
| 轻松 | qīngsōng | *Sv.* relaxed; light (work) | 2—1 |
| 穷书生 | qióngshūshēng | *N.* indigent student (archaic term) | 5—0 |
| 求职 | qiú zhí | *VO.* look for a job | 2—2 |
| 取媳妇 | qǔ xífu | *VO.* to take a wife | 5—1 |
| 取消 | qǔxiāo | *V.* cancel | 2—1 |
| 权力 | quánlì | *N.* power | 4—0 |
| 缺 | quē | *V.* be short of | 2—1 |
| 确实 | quèshí | *Adv.* really; indeed | 3—3 |

## R

| 热爱 | rè'ài | *V.* love | 5—3 |
|---|---|---|---|
| 热浪 | rèlàng | *N.* heat wave; hot wave | 1—1 |
| 热门 | rèmén | *Sv.* popular; in great demand | 1—3 |
| 热门贷 | rèménhuò | *N.* good; in great demand | 2—1 |
| 热气 | rèqì | *N.* steam; heat | 1—1 |

215

| 热心 | rèxīn | N. enthusiastic；warm hearted | 5—2 |
|---|---|---|---|
| 人才 | réncái | N. a person of ability；a talented person | 2—3 |
| 人口 | rénkǒu | N. population | 1—0 |
| 人数 | rénshù | N. number；figure | 2—0 |
| 人员 | rényuán | N. personnel | 1—1 |
| 忍受 | rěnshòu | V. endure；bear | 1—2 |
| 认为 | rènwéi | V. consider | 1—1 |
| 认真 | rènzhēn | Adv. consientiously；take seriously | 5—2 |
| 仍然 | rēngrán | Adv. still | 1—1 |
| 如何 | rúhé | Adv. how | 5—0 |
| 入时 | rùshí | Sv. fashionable | 3—3 |
| 入学率 | rùxuélǜ | N. the rate of starting school | 2—0 |

S

| 丧事 | sāngshì | N. funeral arrangements | 1—3 |
|---|---|---|---|
| 商品 | shāngpǐng | N. merchandise | 2—1 |
| 商人 | shāngrén | N. businessman | 4—0 |
| 伤心 | shāngxīn | Sv. sad；grieved | 4—3 |
| 上缴 | shàngjiǎo | V. turn over sth. to the higher authorities | 5—2 |
| 社会地位 | shèhuì dìwèi | N. social position | 3—0 |
| 设计 | shèjì | V/N. design | 1—1 |
| 社交 | shèjiāo | N. social activites | 3—1 |
| 摄氏 | shèshì | N. celsius | 1—1 |
| 伸 | shēn | V/N. apply/application | 5—1 |

216

| 申请 | shēnqǐng | V/N. apply/application | 2—2 |
|------|----------|------------------------|------|
| 身体欠佳 | shēntǐ qiànjiā | healthy is not good enough | 2—2 |
| 身子 | shēnzi | N. body | 4—1 |
| 神秘 | shénmì | N. mysterious | 3—1 |
| 甚至 | shènzhì | Con. even;so far as to | 2—0 |
| 生活水平 | shēnghuó shuǐpíng | N. living standard | 2—3 |
| 省 | shěng | N. province | 5—1 |
| 省得 | shěngde | V. so as to avoid(doing sth) | 4—1 |
| 剩 | shèng | V. be left(over) | 4—3 |
| 失利 | shīlì | N. suffer a defeat | 2—3 |
| 失业 | shīyè | VO. to lose one's job | 1—0 |
| 实际 | shíjì | Sv. practical | 2—1 |
| 实际上 | shíjìshàng | Adv. as a matter of fact | 1—3 |
| 实物 | shíwù | N. material object | 1—3 |
| 使 | shǐ | V. cause;enable;make | 1—1 |
| 世纪 | shìjì | N. century | 3—0 |
| 式样 | shìyàng | N. style | 1—3 |
| 事业 | shìyè | N. career | 3—1 |
| 收藏 | shōucáng | V. store up;collect(rare items) | 1—3 |
| 收获 | shōuhuò | N. gains;results | 4—3 |
| 收入 | shōurù | N. income | 1—0 |
| 手续 | shǒuxù | N. procedures;formalities | 3—3 |
| 受不了 | shòu bù liǎo | RV. cannot bear;be unable to endure | 1—1 |

217

| | | | |
|---|---|---|---|
| 受到 | shòudào | *V*. be subjected to | 3—0 |
| 暑假 | shǔjià | *N*. summer vacation | 2—1 |
| 双方 | shuāngfāng | *N*. both sides; the two parties | 3—0 |
| 水平 | shuǐpíng | *N*. level | 1—0 |
| 顺利 | shùnlì | *Sv*. successful; without a hitch | 5—3 |
| 硕士 | shuòshì | *N*. Master's degree | 2—2 |
| 私房 | sīfáng | *N*. private house | 3—1 |
| 私房钱 | sīfángqián | *N*. money set aside by a family member for his/her private use | 4—2 |
| 私人企业 | sīrénqǐyè | *N*. private enterprise | 5—0 |
| 四季 | sìjì | *N*. the four seasons (all the year round) | 1—2 |
| 速度 | sùdù | *N*. speed | 1—1 |
| 塑料厂 | sùliàochǎng | *N*. factory making plastic | 5—2 |
| 随着 | suízhe | along with | 3—0 |
| 孙女 | sūnnü | *N*. granddaughter | 4—1 |
| 所 | suǒ | *M*. for building | 2—0 |

T

| | | | |
|---|---|---|---|
| 摊 | tān | *N*. vendor's stand; stall | 2—3 |
| 叹 | tàń | *V*. sigh | 4—3 |
| 叹息 | tànxī | *V*. sigh | 3—2 |
| 掏 | tāo | *V*. pull out; draw out (from pocked, bag) | 4—3 |
| 套 | tào | *M*. a suite of rooms | 1—0 |
| 特别 | tèbié | *Adv*. especially | 1—3 |

218

| | | | |
|---|---|---|---|
| 提出 | tíchū | *RV*. put forward (a proposal) | 5—2 |
| 甜 | tián | *Sv*. sweet | 3—2 |
| 条件 | tiáojiàn | *N*. condition | 2—0 |
| 跳舞 | tiàowǔ | *V*. dance | 4—1 |
| 听话 | tīnghuà | *VO*. heed what an elder says | 3—2 |
| 同龄 | tónglíng | *N*. of the same age | 2—1 |
| 同意 | tóngyì | *N*. agreement;approval | 3—2 |
| 统计 | tǒngjì | *V*. count (up the number of people) | 1—1 |
| 统一招生 | tǒngyīzhāoshēng | *V*. a national unified entrance examination for college students | 2—1 |
| 痛快 | tòngkuai | *Sv*. straightforward | 3—1 |
| 头脑 | tóunǎo | *N*. head | 5—0 |
| 投资 | tóuzī | *N*. investment | 4—3 |
| 团 | tuán | *N*. regiment | 3—2 |
| 团委书记 | tuánwěishūjì | *N*. secretary of the youth league | 5—3 |
| 推 | tuī | *V*. push | 3—2 |
| 推辞 | tuīcí | *V*. decline (an appointment;invitation) | 4—1 |
| 退学 | tuì xué | *VO*. quit school | 2—0 |
| 脱 | tuō | *V*. to take off | 4—2 |

## W

| | | | |
|---|---|---|---|
| 外块 | wàikuài | *N*. extra income | 4—2 |

| 顽固 | wángù | *Sv.* stubborn ; bitterly opposed to change | 4—1 |
| 玩具柜 | wánjùguì | *N.* toys counter | 4—3 |
| 晚辈 | wǎnbèi | *N.* younger member of a family | 4—0 |
| 晚年 | wǎnnián | *N.* old age ; one' s later years ; twilight years | 4—0 |
| 挽手 | wǎnshǒu | *VO.* to hold hands ; hand in hand | 3—3 |
| 惋惜 | wǎnxī | *V.* feel sorry for somebody | 2—1 |
| 万般皆下品， 唯有读书 高 | wànbānjiēxiàpǐng， wéiyǒudúshūgāo | Everything else is inferior ; only studying is high | 5—0 |
| 危房 | wēifáng | *N.* a house about to fall | 2—0 |
| 为 | wéi | *V.* is/was | 1—0 |
| 维护 | wéihù | *V.* preserve ; safeguard | 4—0 |
| 委员会 | wěiyuánhuì | *N.* committee | 5—2 |
| 未婚 | wèihūn | *N.* unmarried | 3—1 |
| 卫生间 | wèishēngjiān | *N.* washroom | 3—1 |
| 文化 | wénhuà | *N.* culture ; education ; schooling | 2—3 |
| 文盲 | wénmáng | *N.* illiterate ; illiteracy | 2—0 |
| 稳定 | wěndìng | *Sv.* stable | 1—3 |
| 无可奈何 | wúkěnàihé | *Ph.* without any alter— native ; having no way out ; reluctanly | 4—3 |

| 物价 | wùjià | N. price | 1—0 |
| 物理系 | wùlǐxì | N. the physical department | 2—2 |

## X

| 牺牲 | xīshēng | V. sacrifice；do sth at the expense of | 3—0 |
| 吸烟 | xīyān | VO. smoke（cigarattes） | 4—2 |
| 吸引 | xīyǐn | V. attract | 3—1 |
| 洗澡 | xǐzǎo | V. to bathe | 4—2 |
| 细细 | xìxì | Sv. very fine | 3—1 |
| 下班 | xià bān | VO. get off work | 3—2 |
| 下降到 | xiàjiàngdào | V. go down | 2—0 |
| 下棋 | xià qí | VO. play chess | 5—1 |
| 掀起 | xiānqǐ | V. set off（a movement, etc.） | 1—3 |
| 咸菜 | xiáncài | N. pickles；salted vegetables | 4—3 |
| 现代化 | xiàndàihuà | Sv. modernized | 2—3 |
| 现金 | xiànjīn | N. cash | 4—2 |
| 羡慕 | xiànmù | V. envy | 5—0 |
| 献身 | xiànshēn | V. give one's life for；dedicate oneself to | 2—3 |
| 现实 | xiànshí | Sv. actual condition | 5—1 |
| 现象 | xiànxiàng | N. phenomenon | 2—2 |
| 现行 | xiànxíng | Sv. present；in operation | 2—2 |
| 限制 | xiànzhì | N. restriction | 3—0 |
| 相比之下 | xiāngbǐzhīxià | Ph. when compared… | 1—2 |

221

| 相持不下 | xiāngchí bu xià | Ph. | neither side was ready to yield; be locked in a stalemate | 3—3 |
| --- | --- | --- | --- | --- |
| 相反 | xiāngfǎn | V. | be opposite | 3—3 |
| 相应 | xiāngyìng | Sv. | corresponding | 5—3 |
| 项链 | xiàngliàn | N. | necklace | 3—3 |
| 销售量 | xiāoshòuliàng | N. | sales volume | 1—3 |
| 小道消息 | xiǎodàoxiāoxī | N. | hearsay; rumor | 1—3 |
| 小伙子 | xiǎohuǒzi | N. | a young guy | 5—1 |
| 小卖部 | xiǎomàibù | N. | a small shop attached to a school, factory, theatre, etc. | 2—3 |
| 小生意 | xiǎo shēngyi | NP. | small business | 5—1 |
| 小时 | xiǎoshí | N. | hour | 1—1 |
| 协议 | xiéyì | N/V. | agreement; agree on | 3—0 |
| 辛苦 | xīnkǔ | Sv. | work hard; go through hardships | 2—3 |
| 新闻 | xīnwén | N. | news | 5—3 |
| 新鲜 | xīnxiān | Sv. | new/fresh (experience, food; etc.) | 2—1 |
| 心血 | xīnxuè | N. | painstaking care; painstaking labor | 4—3 |
| 信任 | xìnrèn | V. | believe in; trust | 5—3 |
| 兴起 | xīngqǐ | V. | raise; bring up | 2—3 |
| 幸福 | xìngfú | Sv. | happy | 3—0 |
| 幸运儿 | xìngyùn' ér | N. | a lucky person | 2—1 |

| 兄弟 | xiōngdì | *N.* brothers | 2—3 |
| 吁一口气 | xū yīkǒu qì | *VO.* to let out a breath | 4—2 |
| 选择 | xuǎnzé | *V.* select | 4—0 |
| 学龄 | xuélíng | *N.* school age | 2—0 |
| 学位 | xuéwèi | *N.* degree | 2—2 |
| 学业 | xuéyè | *N.* one's studies | 2—2 |
| 循规蹈矩 | xúnguīdǎojǔ | *Ph.* to be proper (to follow conventions) | 5—1 |
| 寻找 | xúnzhǎo | *V.* seek | 5—1 |
| 迅速 | xùnsù | *Adv.* rapid;speedy | 2—0 |

## Y

| 压 | yā | *V.* press | 2—1 |
| 压抑 | yāyì | *V.* hold back;constrain | 3—0 |
| 研究生 | yánjiūshēng | *N.* graduate student | 2—2 |
| 眼界 | yǎnjiè | *N.* vision;outlook | 5—1 |
| 眼睛 | yǎnjīng | *N.* eye | 1—1 |
| 眼神 | yǎnshén | *N.* expression in the eyes | 4—2 |
| 洋务派 | yángwùpài | *N.* group that act in an ostentatiously foreign style | 4—1 |
| 爷爷 | yéye | *N.* grandfather | 4—1 |
| 夜大学 | yèdàxué | *N.* evening university | 3—1 |
| 业务 | yèwù | *N.* professional work; business | 5—3 |
| 业余 | yèyú | *N.* after work;ieisare time; pastime | 5—1 |
| 业余大学 | yèyúdàxué | *N.* spare time university | 2—0 |
| 一百倍 | yībǎibèi | *Nu.* one hundred times | 1—3 |

| 一分为二 | yīfēnwéi′èr | Ph. one divided into two | 3—2 |
| 一举两得 | yījǔliǎngdé | Ph. kill two birds with one stone | 2—1 |
| 衣食住行 | yīshízhùxíng | daily necessities (food, clothing, shelter and transportation) | 5—1 |
| 一向 | yīxiàng | Adv. consistontly;all along | 2—2 |
| 遗憾 | yíhàn | Sv. (it′s a pity that)be regrettable | 2—1 |
| 疑惑 | yíhuò | Adv. perplexedly | 3—3 |
| 以往 | yǐwǎng | Adv. in the past;formerly | 4—2 |
| 亿 | yì | Nu. a hundred million | 1—0 |
| 意见 | yìjiàn | N. opinion | 3—2 |
| 异口同声 | yìkǒutóngshēng | Ph. with one voice (everyone has the same opinion) | 2—1 |
| 义务教育 | yìwujiàoyù | N. compulsory education | 2—0 |
| 因此 | yīncǐ | Con. therefore | 1—2 |
| 音乐 | yīnyuè | N. music | 4—1 |
| 营养 | yíngyǎng | N. nutrition | 4—3 |
| 营业员 | yíngyèyuán | N. salesperson | 4—3 |
| 应征者 | yìngzhēngzhě | N. the person who responds to the advertisement | 3—1 |
| 涌 | yǒng | V. gush;surge | 1—3 |
| 勇敢地 | yǒnggǎnde | Adv. bravely | 3—0 |
| 用于 | yòngyú | V. use for | 4—2 |
| 优越 | yōuyuè | Sv. superior | 3—1 |
| 由 | yóu | Prep. by;through | 3—0 |

| 由于 | yóuyú | *Prep*. due to；owing to | 1—3 |
| 有出息 | yǒuchūxi | *Sv*. promising | 4—3 |
| 有趣 | yǒuqù | *Sv*. interesting | 2—2 |
| 有所作为 | yǒusuǒzuòwéi | accomplished | 3—1 |
| 幼儿园 | yòu'éryuán | *N*. nursery school | 3—2 |
| 余 | yú | *Sv*. more than | 3—1 |
| 于是 | yúshì | *Con*. and so；and then（used in narrative styles of writing "yúshì" indicates that one matter followed the other consequently。） | 1—2 |
| …与…之间 | …yǔ…zhījiān | the space between…and … | 1—2 |
| 遇到 | yùdào | *V*. meet | 3—2 |
| 原来 | yuánlái | *Con*. it turns out that | 3—2 |
| 原理 | yuánlǐ | *N*. principle | 2—1 |
| 原则 | yuánzé | *N*. principle | 5—2 |
| 约好 | yuēhǎo | *RV*. agree to meet；have made a date or make a date | 3—2 |
| 岳母 | yuèmǔ | *N*. mother in law（wife's mother） | 1—2 |

## Z

| 赞成 | zànchéng | *V*. endorse | 3—2 |
| 赞同 | zàntóng | *V*. agree with | 4—3 |
| 早晨 | zǎochén | *N*. (early)morning | 4—1 |
| 则 | zé | *Adv*. however | 4—1 |

| 责任 | zérèn | N. duty;responsibility | 4—0 |
| 扎根在 | zhāgēnzài | V. take root in | 5—0 |
| 债务 | zhàiwù | N. debt;liabilities | 2—3 |
| 沾满 | zhānmǎn | RV. covered with | 4—1 |
| 占 | zhàn | V. make up | 2—0 |
| 长辈 | zhǎngbèi | N. elder member of a family | 4—0 |
| 掌握 | zhǎngwò | V. master;have in hand | 4—0 |
| 涨 | zhǎng | V. rise(in price) | 1—2 |
| 涨价 | zhǎng jià | VO. rise in price | 1—3 |
| 障碍 | zhàng' ài | N. obstacle | 2—2 |
| 招收工人 | zhāoshōu gōngrén | VO. recruit workers | 5—0 |
| 这辈子 | zhè bèizi | N. this generation; this life time | 4—3 |
| 这倒是 | zhè dào shì | right;this actually is the case | 4—3 |
| 真舍得 | zhēn shěde | V. so generous; not grudging | 4—3 |
| 征婚 | zhēng hūn | VO. to advertise for a partner | 3—1 |
| 争论 | zhēnglùn | N/V. debate;dispute;argue | 4—1 |
| 增长 | zhēngzhǎng | V. increase | 1—0 |
| 挣 | zhèng | V. earn | 1—2 |
| 政策 | zhèngcè | N. policy | 2—2 |
| 政府 | zhèngfǔ | N. government | 2—2 |
| 挣钱 | zhèngqián | VO. earn money | 2—0 |
| 支持 | zhīchí | N. support | 5—3 |
| 支出 | zhīchū | N. expend | 4—2 |

| 知识 | zhīshi | N. knowledge | 4—3 |
|---|---|---|---|
| 知识分子 | zhīshifènzǐ | N. intellectual | 2—0 |
| 职工 | zhígōng | N. office workers and laborers | 5—1 |
| 值钱 | zhíqián | Sv. valuable;costly | 2—3 |
| 职业 | zhíyè | N. profession;professional | 2—1 |
| 职工中学 | zhíyèzhōngxué | N. vocational high school | 2—0 |
| 只好 | zhǐhǎo | Adv. have no choice but;be forced to | 1—2 |
| 指挥 | zhǐhuī | N/V. command;direct | 3—2 |
| 制度 | zhìdù | N. system | 2—0 |
| 智力 | zhìlì | N. intelligence | 4—3 |
| 中断 | zhōngduàn | V. discontinue | 2—2 |
| 中期 | zhōngqī | N. middle period | 3—0 |
| 中外合资 | zhōngwài hézī | N. Chinese-foreign joint venture | 2—2 |
| 中旬 | zhōngxún | N. the middle the days of a month | 1—3 |
| 终于 | zhōngyú | Adv. at long last;finally | 3—0 |
| 重视 | zhòngshì | V. lay emphasis on;emphasize | 2—0 |
| 周围 | zhōuwéi | N. around;surroundings | 3—0 |
| 皱眉头 | zhòu méidóu | VO. knit one' s brows;frown | 4—3 |
| 主科 | zhǔkē | N. major | 2—1 |
| 住房 | zhùfáng | N. house | 1—0 |
| 助手 | zhùshǒu | N. assistant | 2—3 |
| 著作 | zhùzuò | N. book;writings | 2—3 |

| | | | |
|---|---|---|---|
| 抓 | zhuā | *V*. grab；clutch | 4—3 |
| 专家 | zhuānjiā | *N*. specialist | 1—1 |
| 专门地 | zhuānménde | *Adv*. exclusively | 3—3 |
| 转 | zhuǎn | *V*. turn | 3—3 |
| 赚钱 | zhuànqián | *V/N*. make money | 2—3 |
| 壮观 | zhuàngguān | *Sv*. a spectacular sight | 1—1 |
| 追求 | zhuīqiú | *V*. seek | 3—0 |
| 琢磨 | zhuómó | *V*. ponder | 5—1 |
| 资格 | zīgé | *N*. qualification | 2—1 |
| 资金 | zījīn | *N*. fund | 5—2 |
| 自称 | zìchēng | *V*. to call oneself | 4—2 |
| 自费 | zìfèi | *Sv*. at one's own expense | 2—2 |
| 自豪 | zìháo | *Sv*. be proud of sth | 4—0 |
| 自由恋爱 | zìyóu liàn'ài | have a free love | 3—0 |
| 自由市场 | zìyóu shìchǎng | *NP*. free market | 5—1 |
| 租 | zū | *V*. rent；rent to（租到了：rented；succeed in renting；租给：rent out to…；lease out to…） | 1—2 |
| 钻研 | zuānyán | *V*. dig into；study intensively；delve into | 5—3 |
| 尊敬 | zūnjìng | *V*. respect；honour | 5—0 |
| 做饭 | zuò fàn | *VO*. cook a meal | 4—1 |

## 专用名词

| | | | |
|---|---|---|---|
| 1. 贝贝 | Bèibèi | a Name（bèi is treasure in Chinese） | 4—3 |
| 2. 变型金钢 | Biànxíngjīngāng | changeable toy robot | 4—3 |
| 3. 迪斯科 | Dísike | Disco | 4—1 |

| 4. 广州 | Guǎngzhōu | Canton | 1—1 |
| 5. 海珠桥 | Hǎizhūqiáo | The largest bridge in Canton | 1—1 |
| 6. 杭州 | Hángzhōu | Hangzhou | 2—3 |
| 7. 浙江 | Zhéjiāng | Zhejiang Province | 2—3 |

# 语法点索引

新登字(京)159号

A CHINESE TEXT

FOR A CHANGING CHINA

**新编汉语教程**

刘瑞年　李晓琪

\*

北京大学出版社出版

(北京大学校内)

北京大学印刷厂激光照排排版

北京大学印刷厂印刷

新华书店北京发行所发行　各地新华书店经售

\*

850×1168毫米　32开本　7.75印张　190千字

1991年8月第一版　1992年8月第二次印刷

印数:1001-4.000册

ISBN 7-301-01593-3/H·166

定价:4.60元